S0-BAL-216

Älteste deutsche Dichtungen

Übersetzt und herausgegeben von Karl Wolfskehl
und Friedrich von der Leyen

Erschienen im Insel-Verlag

Diese Ausgabe und Übersetzung will von den ältesten deutschen Dichtungen dem Empfänglichen die kleineren anbieten, deren Kraft und Tiefe, deren Klang und Anmut sich in uns lebendig wiederbilden. Wir haben den ›Otfried‹ und den ›Heliand‹ und noch einige geistliche Dichtungen ganz ausgeschieden, von anderen Gedichten nur ausgewählte Versreihen, Strophen und Strophengruppen hereingenommen.

Dieser Ertrag aus fünf Jahrhunderten scheint nur dem klein, der mit dem äußeren Auge sieht. In den Gedichten, die wir bringen, lebt und wirkt fort und fort die heldenhafte und tragische Selbstüberwindung der Germanen, ältestes Heidentum, tiefe Weisheit und Erfahrung des Volkes, die beschwörende Macht des Zaubers, drollige Neckereien, derber Humor, das kindliche und gläubige Vertrauen auf Gottes Segen, das holdeste Wesen Unserer Lieben Frau, die eindringende, erregt ausmalende Beredsamkeit der Kirche, das starke, männliche Christentum der ersten Kreuzzüge und des erwachenden Rittertums: wie feierlicher und mächtiger Orgelgesang klingt das Ezzolied über die Jahrhunderte zu uns herüber.

Ik gihorta dat seggen ·
dat sih urhettun   aenon muotin ·
Hiltibrant enti Hadubrant   untar heriun tuem ·
sunufatarungo   iro saro rihtun ·
garutun se iro gudhamun · gurtun sih iro suert ana ·
helidos ubar hringa · do si to dero hiltiu ritun ·
Hiltibrant gimahalta · her uuas heroro man ·
ferahes frotoro · her fragen gistuont
fohem uuortum · fireo in folche
wer sin fater wari · ›eddo welihhes cnuosles du sis ·
ibu du mi enan sages · ik mi de odre uuet ·
chind · in chunincriche · chud ist mir al irmindeot‹ ·
Hadubrant gimahalta · Hiltibrantes sunu:
›dat sagetun mi   usere liuti ·
alte anti frote · dea erhina uuarun ·
dat Hiltibrant haetti min fater · ih heittu Hadubrant ·
forn her ostar giweit · floh her Otachres nid ·
hina miti Theotrihhe   enti sinero degano filu ·
her furlaet in lante   luttila sitten
prut in bure · barn unwahsan ·
arbeo laosa · he raet ostar hina ·
sid Detrihhe   darba gistuontun
fateres mines · dat uuas so friuntlaos man ·
her was Otachre   ummet irri ·
degano dechisto   miti Deotrichhe ·
her was eo folches at ente · imo was eo fehta ti leop ·
chud was her   chonnem mannum ·
ni waniu ih iu lib habbe‹ ·
›wettu irmingot   obana ab hevane ·
dat du neo dana halt mit sus sippan man
dinc ni gileitos‹ ·
want her do ar arme   wuntane bauga ·
cheisuringu gitan · so imo se der chuning gap ·

Ich hörte das sagen ·
Daß sich Ausfodrer   einzeln trafen ·
Hildebrand und Hadubrand   zwischen den Heeren.
Sie · Sohn und Vater · sahen nach ihrem Panzer.
Schlossen ihr Schirmhemd · gürteten sich ihr Schwert um ·
Die Reisigen über die Ringe · um zu solchem Streit zu reiten.
Hildebrand anhob · er war höher an Jahren ·
Der Menschen Meister · gemessenen Wortes
Zu fragen begann er · der Führer im Volke
Wer sein Vater wäre · ›oder wes Geschlechtes du bist.
Wenn du mir einen sagest · weiß ich die andern eh ·
Kind · im Königreiche · kund ist mir die Gotteswelt.‹
Hadubrand anhob · Hildebrands Sohn:
›Das sagten sie mir   unsere Leute ·
Alte Meister · die eh'r da waren ·
Daß Hildebrand hieße mein Vater · ich heiße Hadubrand.
Ostwärts fuhr er einst · floh des Otaker Grimm
Weg mit Dietrich   und vielen seiner Degen.
Verlassen im Lande   ließ er sitzen
Die Frau im Bau · den jungen Buben ·
Ganz ohne Erbe · er ritt nach Osten weg ·
Denn den Dietrich Darben ergriff ihn
Nach meinem Vater · der gar Verfemte ·
Der war dem Otaker   maßlos böse ·
Und war der Degen   liebster dem Dietrich ·
Er ritt nur an Volkes Spitze · ihm war nur das Fechten zu lieb.
Kund war er   kühnen Männern.
Nicht glaub ich   sei am Leben . . . ‹
›Zeuge Heilger Gott   hoch du vom Himmel ab ·
Daß dennoch du nie   mit so Versipptem
Deine Sache führtest . . .‹
Da wand er vom Arm ab   gewundene Spangen ·
Kaisergoldwerk verziert · so wie's der König ihm gab ·

7

Huneo truhtin · ›dat ih dir it nu bi huldi gibu‹ ·
Hadubrant gimahalta · Hiltibrantes sunu:
›mit geru scal man   geba infahan ·
ort widar orte ·
du bist dir · alter Hun · ummet spaher ·
spenis mih mit dinem wortun · wili mih dinu speru werpan ·
pist also gialtet man · so du ewin inwit fuortos ·
dat sagetun mi   seolidante ·
westar ubar wentilseo · dat inan wic furnam ·
tot is Hiltibrant · Heribrantes suno ·
›wela gisihu ih in dinem hrustim ·
dat du habes heme   herron goten ·
dat du noh bi desemo riche   reccheo ni wurti‹ ·
Hiltibrant gimahalta · Heribrantes suno:
›welaga nu · waltant got · wewurt skihit ·
ih wallota sumaro enti wintro   sehstic ur lante ·
dar man mih eo scerita   in folc sceotantero ·
so man mir at burc enigeru   banun ni gifasta ·
nu scal mih suasat chind   suertu hauwan ·
breton mih sinu billiu · eddo ih imo ti banin werdan ·
doh maht du nu aodlihho · ibu dir din ellen taoc ·
in sus heremo man   hrusti giwinnan ·
rauba birahanen · ibu du dar enic reht habes . . . .
der si doh nu argosto   ostarliuto ·
der dir nu wiges warne · nu dih es so wel lustit ·
noti gimeinun · niuse de gundea ·
werdar sih hiutu · dero hregilo rumen ·
erdo desero brunnono   muozzi bedero uualtan‹ ·
do lettun se aerist   asckim scritan ·
scarpen scurim · dat in dem sciltim stont ·
do stoptun to samane · staimbort chlubun ·
heuwun harmlicco   huitte scilti ·
unti im iro lintun   luttilo wurtun ·
giwigan miti wabnum . . . .

8

Der Hunnenvogt: ›Das geb ich nun aus Huld dir.‹
Hadubrand anhob · Hildebrands Sohn:
›Mit dem Gere soll man   Gaben empfangen
Spitze gen Spitze ·
Du bist dir · alter Hunn · unmäßig schlau ·
Lockst mich mit deinen Worten · willst deine Lanz auf mich werfen ·
Bist solch ein uralter Mann   und immer voller Untreu ·
Das sagten die mir   so die See befahren ·
Westlich das Weltmeer · daß Krieg ihn wegnahm ·
Tot ist Hildebrand · Herbrands Sohn.
Wohl aber seh ich   an deinem Harnisch ·
Daß du daheim hast   guten Herrn ·
Nimmer vom Reiche   bannflüchtig reistest.‹
Hildebrand anhob · Herbrands Sohn:
›Wahrlich nun · Waltegott · Wehgeschick wird.
Der Sommer und Winter wallt ich   sechzig außer Lande ·
Seitdem man mich kürte   zur Schar der Kempen.
Den auf keiner Burg wer   blutig nicht streckte ·
Nun soll eignen Kindes   Eisen mich treffen ·
Blatt mich durchbohren   oder ich ihm den Bluttod schaffen.
Doch kannst auch du einfach · wenn dein Eifer reicht ·
Des Hochbejahrten   Harnisch gewinnen ·
Raub dir erraffen · wenn du irgend ein Recht hast . . . .
Der wäre doch der feigste   der Fahrer von Osten ·
Der den Kampf-Weg dir weigre · da so wohl es dich lüstet ·
Gemeinsamer Gänge · Erprobe wers mag ·
Wer von uns heute · sein Heergewand räume ·
Oder der beiden · Brünnen darf walten‹ ·
Da ließen sie erstlich   Eschlanzen laufen ·
In scharfen Schauern · die standen im Schild fest ·
Dann stapften sie zusammen · Streitaxt erklang ·
Hieben harmweckend   ins helle Schildfeld ·
Bis die Lindenbohlen lützel wurden ·
Zerwirkt von den Waffen . . . .

WORTE DES STERBENDEN HILDEBRAND
Aus dem Altnordischen · 12. Jahrhundert

Stendr mer at höfdi   hlif en brotna . . . . . .
eru thar taldir   tiger ens atta
manna theira   er ek at mordi vard ·
Liggr thar enn svasi   sonr at höfdi ·
eptirerfingi · er ek eiga gat . . . . .
oviliandi   aldrs syniadak.

DAS LUDWIGSLIED
Handschrift aus St. Elnon · 9. Jahrhundert

Einan kuning uueiz ih · Heizsit her Hluduig ·
Ther gerno gode thionot · Ih uueiz her imos lonot ·

Kind uuarth her faterlos · Thes uuarth imo sar buoz ·
Holoda inan truhtin · Magaczogo uuarth her sin ·

Gab her imo dugidi · Fronisc githigini ·
Stuol hier in Vrankon · So bruche her es lango!

Thaz gideilder thanne   Sar mit Karlemanne ·
Bruoder sinemo · Thia czala uuunniono ·

So thaz uuarth al gendiot · Koron uuolda sin god ·
Ob her arbeidi   So iung tholon mahti ·

Lietz her heidine man   Obar seo lidan ·
Thiot Vrancono   Manon sundiono ·

Sume sar verlorane   Uuurdun sum erkorane ·
Haranskara tholota   Ther er misselebeta ·

WORTE DES STERBENDEN HILDEBRAND
Aus dem Altnordischen · 12. Jahrhundert

Steht mir zu Häupten   der Heerschild geborsten: ...
Sind drauf gezählet   zehnmal acht
Lauter Männer · denen ich Mörder ward ·
Liegt hier der Sohn   selbst mir zu Häupten.
Erbsproß er · den ich eigen gehabt . . . . .
Un-wollend   sein Ende schuf ich.

DAS LUDWIGSLIED
Handschrift aus St. Elnon · 9. Jahrhundert

Einen König weiß ich · Der heißt Ludwig ·
Der gerne Gott fronet: Ich weiß · daß ders ihm lohnet ·

Knabe ward vaterlos · des ward Ersatz ihm groß:
Denn der Herr holt ihn ein · wollt ihm Zuchtmeister sein ·

Gab ihm Riegen · herrlicher Degen ·
Thronstuhl in Franken · Des genieß er lange!

All das teilt er dann   gleich mit Karlmann ·
Seinem Bruder zumal · Wonnen sonder Zahl.

Da dies ein Ende nahm · Gott ihn versuchen kam ·
Ob er Beschwerde   so jung dulden werde.

Ließ ein Heidenheer   über See fahren her ·
Das Volk der Franken   Sünden zu mahnen.

Manche · schon verloren · wurden neu erkoren:
Dulden mußte harte Straf' · wer bösen Lebens war.

Ther ther thanne thiob uuas · Ind er thanana ginas ·
Nam sina vaston · Sidh uuarth her guot man ·

Sum uuas luginari · Sum skachari ·
Sum fol loses · Ind er gibuozta sih thes ·

Kuning uuas ervirrit · Thaz richi al girrit ·
Uuas erbolgan Krist · Leidhor · thes ingald iz ·

Thoh erbarmedes got · Uuisser alla thia not ·
Hiez der Hluduigan   Tharot sar ritan ·

›Hluduig · kuning min · Hilph minan liutin!
Heigun sa Northman   Harto biduuungan · ‹

Thanne sprah Hluduig · ›Herro · so duon ih ·
Dot ni rette mir iz · Al thaz thu gibiudist · ‹

Tho nam her godes urlub · Huob her gundfanon uf ·
Reit her thara in Vrankon   Ingagan Northmannon ·

Gode thancodun   The sin beidodun ·
Quadhun al · ›fro min · So lango beidon uuir thin · ‹

Thanne sprah luto   Hluduig ther guoto ·
›Trostet hiu · gisellion · Mine notstallon ·

Hera santa mih god   Joh mir selbo gibod ·
Ob hiu rat thuhti · Thaz ih hier gevuhti ·
Mih selbon ni sparoti · Uncih hiu gineriti ·

Nu uuillih thaz mir volgon   Alle godes holdon ·
Giskerit is thiu hieruuist · So lango so uuili Krist ·
Uuili her unsa hinavarth · Thero habet her giuualt.

Mancher · der Dieb gewesen · mochte damals doch genesen ·
So er seine Fasten nahm · ward er wieder ein frommer Mann.

Die sonst logen · die das Recht bogen ·
Alle Losen taten gerne Buße ·

Der König war fern · das Reich ohne Herrn ·
Christ war dem Reich gram · drob es leider Schaden nahm.

Doch es erbarmte Gott · der sieht all die Not ·
Hieß drum Ludewig   reiten dahin sogleich:

›Ludewig · König mein · steh meinem Volke bei!
Denn der Normannen Heer   dränget es schwer · ‹

Spricht darauf Ludewig: ›Herre · so tu ich ·
All was du heißest · kein Tod mirs nicht entreißet.‹

Da nahm er mit Gottes Verlaub · hoch die Sturmfahne auf ·
Ritt durch Franken   entgegen den Normannen.

Wie da Gott dankten   die sein harrten ·
Sprachen all: ›Herre mein · so lange harren wir dein.‹

Da rief mit Mute   Ludewig der Gute:
›Tröstet euch Gesellen · meine Nothelfer ·

Her sandte mich Gott · der mir selber gebot ·
Wenn ihr möchtet · daß ich hier fechte ·
Mich selber nicht sparete · bis ihr gerettet wäret ·

So will ich · daß mir folgen   alle Gott Holden ·
Hieniedensein beschieden ist · solang es füge Christ:
Ihm ward die Gewalt · zu verfügen unsre Hinfahrt.

So uuer so hier in ellian   Giduot godes uuillion ·
· Quimit he gisund uz · Ih gilonon imoz ·
Bilibit her thar inne · Sinemo kunnie · ‹

Tho nam er skild indi sper · Ellianlicho reit her ·
Uuolder uuar errahchon   Sinan uuidarsahchon ·

Tho ni uuas iz burolang · Fand her thia Northman ·
Gode lob sageda · Her sihit thes her gereda ·

Ther kuning reit kuono · Sang lioth frano ·
Joh alle saman sungun   ›Kyrrieleison · ‹

Sang uuas gisungan · Uuig uuas bigunnan ·
Bluot skein in uuangon · Spilodun ther Vrankon ·

Thar vaht thegeno gelih · Nichein soso Hluduig:
Snel indi kuoni · Thaz uuas imo gekunni ·

Suman thuruhskluog her · Suman thuruhstah her ·
Her skancta ce hanton   Sinan fianton
Bitteres lides · So uue hin hio thes libes!

Gilobot si thiu godes kraft · Hluduig uuarth sigihaft ·
Joh allen heiligon thanc · Sin uuarth ther sigikamf ·

Uuolar abur Hluduig · Kuning uuigsalig ·
So garo soser hio uuas · So uuar soses thurft uuas ·
Gihalde inan truhtin   Bi sinan ergrehtin ·

Drum der hier in Stärke   vollbringt Gottes Werke ·
Kommt er gesund davon · kriegt er von mir Lohn ·
Bleibet er heute · dann seine Leute.‹

Drauf nahm er Schild und Speer · ritt in Stärke daher ·
Wollt die Wahrheit sagen   seinen Widersachern.

Währte nicht gar lang · da traf er den Normann:
Gott Lob er sagte · er fand was ihm behagte ·

Der König ritt wacker · ein schönes Lied sang er
Und alle zusammen sangen   das Kyrieeleison.

Der Sang war gesungen · der Kampf ward begonnen ·
Das Blut schien in den Wangen   den spielenden Franken.

Da focht ein jeder Held · Keiner wie Ludwig selbst:
Schnell und hart · das war seine Art ·

Manchen durchschlug er · manchen durchstach er ·
Er schenkte zu Handen   seinen Feinden
Bittern Seimes · Weh ihres Leibes!

Gelobt sei die Gotteskraft: Ludwig war sieghaft ·
Und allen Heiligen Dank!   sein ward der Siegkampf.

Aber wohl dir Ludewig · König waffenselig!
So wie er hier bereit war · so wahr wie dessen Notdurft war.
So halt ihn immer Herre   in deiner Gnadenehre.

DAS WESSOBRUNNER GEBET
Münchner Handschrift · 8. Jahrhundert

Dat gafregin ih mit firahim   firiuuizzo meista ·
dat ero ni uuas   noh ufhimil ·
noh paum nohheinig   noh pereg ni uuas ·
noh sunna ni scein ·
noh mano ni liuhta   noh der mareo seo ·
do dar niuuiht ni uuas   wenteo ni enteo ·
enti do uuas der eino   almahtico cot . . . . .

AUS DEM MUSPILLI
Münchner Handschrift · 9. Jahrhundert

Uuanta sar so sih diu sela   in den sind arheuit
enti si den lihhamun   likkan lazzit ·
so quimit ein heri   fona himilzungalon ·
daz andar fona pehhe · dar pagant siu umpi ·
sorgen mac diu sela · unzi diu suona arget ·
za uuederemo herie   si gihalot uuerde ·
uuanta ipu sia daz Satanases   kisindi kiuuinnit ·
daz leitit sia sar · dar iru leid uuirdit ·
in fuir enti in finstri · daz ist rehto uirinlih ding ·
upi sia auar kihalont die · die dar fona himile quemant ·
enti si dero engilo   eigan uuirdit ·
die pringent sia sar   uf in himilo rihi ·
dar ist lip ano tod · lioht ano finstri ·
salida ano sorgun · dar nist neoman siuh . . . . .
.   .   .   .
Daz hort ih rahhon dia   uueroltrehtuuison ·
daz sculi der antichristo   mit Eliase pagan ·
der uuarch is kiuuafanit · denne uuirdit untar in uuic arhapan ·
khenfun sint so kreftic · diu kosa ist so mihhil ·
Elias stritit   pi den euuigon lip ·
uuili den rehtkernon   daz rihhi kistarkan ·

DAS WESSOBRUNNER GEBET
Münchner Handschrift · 8. Jahrhundert

Mir gestand der Sterblichen Staunen als das Größte ·
Daß Erde nicht war   noch oben Himmel ·
Noch irgend ein Baum   noch Berg nicht war ·
Noch Sonne nicht schien
Noch Mond nicht licht war   noch die mächtige See.
Da dort nirgends nichts war   an Wenden und Enden ·
Da war doch der eine   allmächtige Gott . . . . .

AUS DEM MUSPILLI
Münchner Handschrift · 9. Jahrhundert

Denn stracks wenn die Seele   in ihre Straße sich aufhebt
Und sie den Leichnam   liegen lässet ·
Da kommt ein Heer   von Himmelslichtern ·
Ein andres von Peche · die packen sich gleich an ·
Sorgen trag die Seele · bis die Sühne angeht ·
Zu welchem der Heere   sie geholet werde ·
Denn wenn des Satans   Gesind sie gewinnet ·
Das leitet sie stracks   hin · wo es ihr leid wird.
In Feur und in Finstres · da ist gar furchtbar Gericht.
Wenn aber sie holen die · die hernieder vom Himmel kommen ·
Und sie der Engel   eigen wird ·
Die tragen sie stracks   zum Himmelreich auf ·
Da ist Leben ohne Tod · Licht ohne Finstres
Selig sein ohne Sorgen · da ist niemand nicht siech . . . . .

. . . .

Das hört ich wahrsagen   die besten Weltweisen ·
Daß der Antichrist solle   mit Elias sich schlagen.
Der Wolf ist gewaffnet · da der Kampf erwachet ·
Die Streiter sind so stark · die Sache so wichtig ·
Elias streitet   fürs ewige Leben ·
Will den Rechtgläubigen   das Reich erhalten ·

17

pidiu scal imo helfan · der himiles kiuualtit ·
der antichristo   stet pi demo altfiante ·
stet pi demo Satanase · der inan uarsenkan scal ·
pidiu scal er in deru uuicsteti   uunt piuallan
enti in demo sinde   sigalos uuerdan ·
doh uuanit des uilo gotmanno ·
daz Elias in demo uuige   aruuartit uuerde ·
so daz Eliases pluot   in erda kitriufit ·
so inprinnant die perga · poum ni kistentit
enihc in erdu · aha artruknent ·
muor uarsuuilhit sih · suilizot lougiu der himil ·
mano uallit · prinnit mittilagart ·
sten ni kistentit · uerit denne stuatago in lant ·
uerit mit diu uuiru   uiriho uuison ·
dar ni mac denne mak andremo helfan ·
uora demo muspille ·
denne daz preita uuasal   allaz uarprinnit
enti uuir enti luft   iz allaz arfurpit ·
uuar ist denne diu marha · dar man eo mit sinen magen piehc · ?
diu marha ist farprunnan · diu sela stet pidungan ·
niuueiz mit uuiu puaze · so uerit si za uuize ·

HIMMEL UND HÖLLE
Münchner Handschrift · 12. Jahrhundert

Diu himilisge gotes burg
diu ne bedarf des sunnen
noh des manskimen
da ze liehtenne ·
in ire ist der gotes skimo
der sie al durluhtet
in gemeinemo nuzze ·
daz ist in ebenallen
al daz sie wellen ·

Dazu soll ihm helfen · der im Himmel Gewalt hat.
Der Antichrist steht   bei dem Altfeinde
Steht bei dem Satanas · der ihn versenken wird ·
Denn er wird auf dies Weichbild   wund hinsinken
Und an dieser Stelle   sieglos werden.
Doch wähnet mancher   wackre Gottesmann
Daß Elias in diesem Streite   zerstoßen werde.
Wenn des Elias Blut   auf die Erde abtrauft
So entbrennen die Berge · kein Baum bleibt stehen
Wo in der Weite · die Wasser vertrocknen ·
Das Moor verschwelgt sich · schwelend erglost der Himmel ·
Mond fällt nieder · abbrennt Mittelgard ·
Stein bleibt nicht stehen · Straftag ins Land
Fährt mit Feuer · das Fleisch zu finden ·
Da kann Mann nicht dem Manne   helfen ·
Vor dem Muspilli.
Wenn der breite Wasen   all verbrennet ·
Wenn Feuer und Luft   alles hinfegt ·
Wo bleibt dann der Feldrand · um den mit den Vettern Zank war?
Der Feldrand ist verbrannt · die Selle steht gebannt ·
Sieht nicht wie sie büße   so fährt sie zur Sühne ·

HIMMEL UND HÖLLE
Münchner Handschrift · 12. Jahrhundert

Die himmlische Gottesburg
Die bedarf nicht der Sonne
Noch des Mondenschimmers
Je zur Erleuchtung.
In ihr ist Gottesschimmer
Der sie ganz durchleuchtet
Zu gemeinem Frommen.
Das wird denen allen
Was all sie wollen.

da ist daz gotes zorftel ·
der unendige tag ·
der burge tiure liehtfaz ·
Diu burg ist gestiftet
mit aller tiuride meist
ediler geistgimmon ·
der himelmeregriezzon ·
der burge fundamenta ·
die porte joh die mure ·
daz sint die tiuren steina
der gotes fursthelido
und daz eingehellist
aller heiligone here ·
die der tugentlicho
in heiligemo lebenne
demo burgkuninge
ze vurston gezamen ·
Siu stat in quaderwerke ·
daz ist ir ewig stift ·
unde sint ouch dar ane errekket
alle gotes trutfriunt . . . .
Siu ist in iro strazzon
daz rotlohezonte golt ·
daz meinet daz da vurstesot
diu tiure minna uber al ·
der goteliche wistuom
mit allemo wolewillen ·
Siu ist in goldes sconi
samo daz durhliehte glas
alliu durhscouwig
joh durhluter ·
Da wizzen al ein anderen
unvertougenlicho
die himilisgen erben
die die burg buent
in durhskonen tugindan ·

Da ist das Gottesglitzern ·
Der nie endende Tag ·
Der Burg köstlicher Lichtquell.
Die Burg ist gestiftet
Aus aller Köstlichkeit
Edler Seelkleinode ·
Der Himmel-Zahlperlen.
Der Burg Fundamenta ·
Die portae sowie die Mauern ·
Das sind die köstlichen Steine
Gottes Heldenfürsten ·
Und der Ur-Einklang
Aller heiligen Heere ·
Die ob der Tugenden
In heiligem Leben
Dem Burgkönige
Als Fürsten recht schienen.
Sie steht · ein Quaderwerk:
Ewig gestiftet
Und alle Gottesfreunde
Sind auf ihr errichtet . . . .
Und ist ihre Straße
Ein rot lohendes Gold
Das heißt · daß hier Fürst ist
Die köstliche Minne ob allem ·
Göttliches Weistum
Mit allem Wohlwollen.
Sie ist in Goldsschöne
Wie durchsichtiges Glas
All durchschaubar
Durchaus lauter.
Da wissen einander
Unverhohlenlich
Die Himmelserben
So die Burg bauen
In tiefschöner Tugend ·

an aller missetate pflega ·
Da richisot diu minna
mit aller miltfrowida
und aller tugidone zala
mit staten vrasmunde ·
da verselet diu warheit
daz alte gedinge ·
da nimet diu glouba
ende aller ir geheizze ·
Da nehabet resti
der engilo vrosank ·
daz suozze gotes wunnelob ·
diu geistliche meindi ·
der wundertiuro bimentstank
aller gotes wolon ·
da ist daz zieriste here
allez in ein hel ·
daz dienest ewent sie
mit seinftemo vlizze ·
Da ist des frides stati ·
aller gnadone bu ·
Da ist offen vernunft
allero dingo ·
al gotes tougen
daz ist in allez offen ·
sie kunnen alle liste
in selber wahrheite ·
der nehabent sie agez ·
der huge in newenket ·
in ist ein alterbe ·
eines riches ebenteil ·
Da ist alles guotes ubergenuht
mit sichermo habenne ·
der durnohteste trost ·
diu meiste sigera ·
da nist forehtone nieht ·

Ohn irgend eine Argtat dabei.
Da regiert die Minne
Mild allfreudig
Und aller Tugende Zahl
Mit gefaßtem Starkmut.
Da entlohnt die Wahrheit
Das alte Hoffen.
Da gewinnt der Glaube
Das Ziel aller Verheißungen.
Da ruhet nimmer
Der Engel Frohgesang ·
Gottes süßes Wonnelob ·
Geistliches Behagen ·
Der wunderköstliche Balsamruch
Aller Gottes Gaben.
Das ist das zierste Heer
Gänzlich im Einklang.
Den Dienst versehen sie
Mit sanftem Fleiße.
Da ist Friedensstätte ·
Aller Gnaden Gebäu.
Offenbar die Vernunft
Aller der Dinge.
Gottes Verborgenheit
Ist ihnen ganz offenbar.
Sie wissen alle Künste
In eigner Wahrheit ·
Dran nie sie vergessen ·
Nie wankt ihr Erinnern.
Sie sind Alterben ·
Am Reich ist ihr Anteil.
Das ist Gutes Überfülle
In sicherer Habe
Der vollkommenste Trost ·
Die höchste Sieg-Ehre.
Da ist kein Fürchten nicht ·

nichein missehebeda ·
da ist einmuoti ·
aller mamminde meist ·
der stilliste lust ·
diu sichere rawa ·
da ist der gotes friundo
sundergebiuwe ·
da nist sundone stat ·
sorgono wizzede ·
da nist ungesundes nieht ·
heile meist ist dar ·
der untriuwon akust
netaret dar nieht ·
Da ist diu veste wineskaft ·
aller salidone meist ·
diu miltiste drutscaft ·
die kuninglichen era ·
daz unerrahliche lon ·
daz gotes ebenerbe ·
sin wunniglich mitewist ·
diu lussamiste anesiht ·
und der siner minnone
gebe tiuriste ·
Daz ist daz hereste guot ·
daz der vore gegariwet ist
gotes trutfriunden
mit imo ze niezzenne
iemer in ewa ·
So ist taz himelriche
einis teilis getan ·

In dero hello
da ist dot ane tod ·
karot unde jamer ·
al unfrouwida ·
mandunge bresto ·

Kein übel Ergehen.
Da ist Ein-mütig
Alles Sanftsinns Summe ·
Die stillste Lust ·
Das sicherste Rasten.
Da ist der Gottesfreunde
Sonder-Gebräu.
Da ist nicht der Sünden Statt ·
Kein Wissen um Sorgen.
Ungesundes ist da nicht.
Menge Heiles ist da.
Der Untreuen Abgunst
Schadet da nimmer.
Da ist feste Bruderschaft
In der seligen Menge ·
Schenkende Trauthuld ·
Die Königsehren ·
Unsagbarer Lohn ·
Gottes Ebenerbe ·
Wonnige Gemeinschaft ·
Das lustvollste Anschaun ·
Und seiner Minne
Teuerste Gabe.
Das ist das hehrste Gut ·
Das da zugerüstet ist
Gottes Trautfreunden
Mit ihm zu genießen ·
Immer und ewig.
So ist das Himmelreich
Seines Teils getan.

In der Hölle
Da ist Tod ohne Tod ·
Klagruf und Jammer ·
Unfreude ringsum ·
Behagens Ermangeln ·

beches gerouche ·
der sterkiste svevelstank ·
verwazzenlich genibile ·
des todes scategruoba ·
alles truobisales waga ·
der verswelehente loug ·
die wallenten stredema
viuriner dunste ·
egilich vinster ·
diu iemer ewente brunst ·
diu vreißamen dotbant ·
diu betwungeniste phragina ·
clagawuoft ane trost ·
we ane wolun ·
wizze ane resti ·
aller wenigheite not ·
diu hertiste racha ·
der handegoste ursuoch ·
daz serige elelentduom ·
aller bittere meist ·
kala ane vriste ·
ungnadone vliz ·
uppige riuwa ·
karelich gedozze ·
weinleiches ahhizot ·
alles unlustes
zalsam gesturme ·
forhtone biba ·
zano klaffunga ·
aller weskreio meist ·
diu iemer werente angest ·
aller skandigelich ·
daz scamilicheste offen
aller tougenheite ·
leides unende
und aller wewigelich ·

Pechgerauch ·
Stinkiger Schwefelqualm ·
Verworfnes Genebel ·
Des Tods Schattengrube ·
Aller Trübsale Wogen ·
Verschlürfende Loh ·
Das wallende Brodeln
Feuriger Dünste ·
Gräßliches Finster ·
Die immer währende Brunst ·
Die furchtbare Todeshaft ·
Drangvollster Pferch ·
Qual · Wimmern ohne Trost ·
Weh ohne Wohl ·
Nie ruhender Vorwurf ·
Alles Weinens Not ·
Die härteste Rache ·
Das peinlichste Verhör ·
Sehrend Fremdenelend ·
Aller Bitternisse Menge ·
Gram ohne Pause ·
In Ungnaden Eifer ·
Üppige Reue ·
Kläglich Getös ·
Heul-Chors Erächzen ·
Aller Unlüste
Fährlich Gestürm ·
Beben der Ängste ·
Zähne-Klappern ·
Aller Wehschreie Meng' ·
Immerwährende Furcht
Aller Schanden Fülle ·
Schamlosestes Offensein
Alles Verborgnen ·
Leides Nie-Enden ·
Alles Wehs Gewalt ·

marter unerrahlich
mit allem unheile ·
diu wewigliche haranskara ·
verdammunga swereden
ane alle erbarmida ·
itniuwiu ser
ane guot gedinge ·
unverwandellich ubel ·
alles guotes ateil ·
diu grimmigiste heriscaft ·
diu viantliche sigenunft ·
griulich gesemine ·
der vulida unsubrigheit
mit allem unscone ·
diu tiuvalliche anesiht ·
aller egisilich ·
alles bales unmez ·
diu leitliche heima ·
der helle karkare ·
daz richiste trisehus
alles unwunnes ·
der hizze abgrunde ·
umbigebillich flor ·
der tiuvalo tobeheit ·
der ursinnigliche zorn ·
und aller ubelwillo ·
der ist da verlazen
in aller ahtunga vliz
und in alla tarahafti
dero hella erbon ·
ane cites ende ·
iemer in ewa ·
So ist taz helleriche
einis teilis getan ·

Marter unaussprechlich ·
Heillos in allem ·
Die wehgewaltige Harmschar ·
Verdammungs-Beschwerden
Ohn alle Erbarmung ·
Immer neues Sehren
Ohn einige Hoffnung ·
Unwandelbar Übel ·
Alles Guten Abkehr ·
Die grimmigste Herrschaft ·
Der feindlichste Siegprunk ·
Greuliche Gemeinde ·
Schmutz des Verfaulens
Mit aller Unschöne.
Das teuflische Anschaun
Alles Entsetzlichen ·
Des Verderbens Unmaß ·
Die leidige Heimat ·
Der Hölle Kerker ·
Der reichste Speicher
Aller Unwonnen ·
Der Hitze Abgrund ·
Unentrinnlich Verkommen ·
Der Teufel Getobe ·
Unsinniglicher Zorn
Und ganz böser Wille ·
Da ist einer überlassen
Aller Ächtungen Eifer
Und zu aller Schadensart
Der Hölle Erben ·
Ohne zeitlich Ende ·
Immer und ewig.
So ist das Höllenreich
Seines Teiles getan.

NORMANNISCHE RUNENREIHE
St. Gallener Handschrift · 9. Jahrhundert

Feu forman ·
Ur after ·
Thuris thritten stabu ·
Os ist himo oboro ·
Rat ritan endost ·
Chaon cliuot thanne ·
Hagal habet Naut ·
Is · Ar endi Sol ·
Tiu · Brica endi Man midi ·
Lagu the leohto ·
Yr al bihabet ·

DIE BEIDEN MERSEBURGER ZAUBERSPRÜCHE
Merseburger Handschrift · 10. Jahrhundert

Erster Spruch

Eiris sazun idisi · sazun hera duoder ·
suma hapt heptidun · suma heri lezidun ·
suma clubodun   umbi cuniouuidi:
insprinc haptbandun · inuar uigandun ·

Zweiter Spruch

Uol ende Uuodan   uuorum zi holza ·
do uuart demo Balderes uolon   sin uuoz birenkit ·
thu biguolen Sinthgunt · Sunna era suister ·

NORMANNISCHE RUNENREIHE
St. Gallener Handschrift · 9. Jahrhundert

ᚠ ᚢ ᚦ ᚨ ᚱ

ᛚ ᛉ ᚺ ᛁ ᛏ ᚾ

ᛏ ᛒ ᛜ ᛚ ᛉ

Viehstand vorne ·
Urochs andringt ·
Thurs dräut am dritten Stabe ·
As der ist ihm über ·
Rad ritz am Ende ·
Knistern klebt daran ·
Hagel hegt die Not ·
Eis · Anfang und Sonne ·
Tiu · Birke und Mann inmitten ·
Lache die Lichte:
Yr umhegt alles.

DIE BEIDEN MERSEBURGER ZAUBERSPRÜCHE
Merseburger Handschrift · 10. Jahrhundert

Erster Spruch

Einstens saßen Idisen · saßen hierherum dortherum ·
Manche Hafte hefteten · manche Heere schläferten ·
Manche die klaubten   um die klammernden Schnüre:
Entspring den Haftbanden · entfahr den Feinden.

Zweiter Spruch

Vol und Wodan fuhren zu Holze.
Da ward dem Balders-Fohlen   sein Fuß verrenkt ·
Da beschwor ihn Sinthgunt · Sonne ihre Schwester ·

31

thu biguolen Friia · Uolla era suister ·
thu biguolen Uuodan · so he uuola conda ·
sose benrenki · sose bluotrenki ·
sose lidirenki:
ben zi bena · bluot zi bluoda ·
lid zi geliden · sose gilimida sin ·

BLUTSEGEN
Straßburger Handschrift · 11. Jahrhundert

Tumbo saz in berke   mit tumbemo kinde enarme.
tumb hiez ter berch · tumb hiez taz kint ·
ter heilego Tumbo   uuersegene tiusa uunda ·

BLUTSEGEN
Millstädter Handschrift · 12. Jahrhundert

Der heligo Christ wart geboren ce Betlehem ·
dann quam er widere ce Jerusalem ·
da ward er getoufet vone Johanne
in demo Jordane ·
Duo verstuont der Jordanis fluz
unt der sin runst ·
Also verstant du · bluotrinna ·
durh des heiligen Christes minna ·
Du verstant an der note ·
also der Jordan tate ·
duo der guote sancte Johannes
den heiligen Christ toufta ·
verstant du · bluotrinna ·
durch des heliges Christes minna ·

Da beschwor ihn Frija · Volla ihre Schwester ·
Da beschwor ihn Wodan · er der's wohl konnte.
Wie die Beinrenke · so die Blutrenke ·
So die Gliedrenke:
Bein zu Beine · Blut zu Blute ·
Glied zu Gliede · wie wenn sie geleimt sei'n.

BLUTSEGEN
Straßburger Handschrift · 11. Jahrhundert

Stumme saß im Berge   mit stummem Kind im Arme.
Stumm hieß der Berg · Stumm hieß das Kind ·
Der heilige Stumme   versegne diese Wunde ·

BLUTSEGEN
Millstädter Handschrift · 12. Jahrhundert

Der heilige Christ ward geboren zu Betlehem ·
Von dannen kam er rück nach Jerusalem.
Da ward er getaufet von Johann
In dem Jordan.
Da blieb stehn des Jordans Fluß
Und auch seine Runst.
So bleib stehn du · Blutrinnen ·
Um des heiligen Christes Minne ·
Du bleib stehn aus Zwang ·
Wie der Jordan getan ·
Da Sankt Johann der Traute
Den heiligen Christ taufte ·
Bleib stehn du · Blutrinnen ·
Um des heiligen Christes Minne.

HIRSCH UND HINDE
Brüsseler Handschrift · 10. Jahrhundert

Hirez runeta
hintun in daz ora ·
uildu noch, hinta?

HUNDESEGEN
Wiener Handschrift · 9.—10. Jahrhundert

Christ uuart gaboren · er uuolf ode diob ·
do uuas sancte Marti Christas hirti ·

der heiligo Christ unta sancte Marti ·
der gauuerdo uualten
hiuta dero hunto ·
dero zohono ·
daz in uuolf noh uulpa za scedin uuerdan ne megi ·
so huara se geloufan
uualdes ode uueges
ode heido ·

der heiligo Christ unta sancte Marti ·
de fruma mir sa hiuto alla hera heim gasunta ·

ZWEI BIENENSEGEN
Lorscher Handschrift · 10. Jahrhundert

Kir . . . st · imbi ist hucze · nu fluic du · vihu minaz · hera ·
fridu frono in godes munt   heim zi comonne gisunt ·

HIRSCH UND HINDE
Brüsseler Handschrift · 10. Jahrhundert

Hirschlein raunte der
Hindin in die Lauscher,
Willst du noch, Hinde?

HUNDESEGEN
Wiener Handschrift · 9.–10. Jahrhundert

Christ ward geboren vor Wolf oder Dieb.
Da war Sankt Martin Christi Hirte.

Der heilige Christ und Sankt Martin ·
Der gewähre zu walten
Heute der Hunde ·
Und der Zaupen ·
Daß Wolf noch Wölfin denen nicht möge schaden ·
Wo immer sie laufen
Waldes oder Weges
Und der Heide.

Der heilige Christ und Sankt Martin ·
Der führe mir sie hilfreich alle heute heim gesund.

ZWEI BIENENSEGEN
Lorscher Handschrift · 10. Jahrhundert

Krr! · die Immen sind haußen · nun flieget · Tierchen · her mir ·
Frohen Friedens in Gottes Hut sollt ihr heimkommen gut.

Sizi · sizi · bina · inbot dir sancte Maria ·
hurolob ni habe du · zi holce ni fluc du ·
noh du mir nindrinnes · noh du mir nintuuinnest ·
sizi vilu stillo · uuirki godes uuillon ·

REISESEGEN
Weingartner Handschrift · 12. Jahrhundert

Ic dir nach sihe · ic dir nach sendi ·
mit minin funf fingirin   funui undi funfzic engili ·
Got mit gisundi hein dich gisendi ·
offin si dir diz sigidor · sami si dir diz segildor ·
bislozin si dir diz wagidor · sami si dir diz wafindor.

REISESEGEN
Münchner Handschrift · 12. Jahrhundert

Ich slief mir hint suzze
datz mines trohtins fuzzen.
daz heilige himelchint ·
daz si hiut min frideschilt ·
daz bat mih hiut uf stan ·
in des namen gnade wil ih hiut ufgan
und wil mih hiut gurten
in des heiligen gotes worten ·
daz mir allez daz holt si ·
daz in dem himel si ·
diu sunne und der mano
und der tagestern scoene ·
mins gemutes bin ih hiut balt ·
hiut springe ih · herre · in dinen gwalt ·
sante Marjen lichemede
daz si hiut min fridhemede ·
aller miner viende gewafen

36

Sitze · sitze · Biene da · Dir gebot es Sankta Maria.
Huschverlaub nicht habe du · zu Holze nicht fleug du ·
Daß du mir nicht entrinnst · dich mir nicht entwindest.
Sitz immer stille · wirke Gottes Willen.

REISESEGEN

Weingartner Handschrift · 12. Jahrhundert

Will dir nach sehen · will dir nach senden ·
Mit meinen fünf Fingern   fünfundfünfzig Engel.
Gott mit Gesunden   heim dich gesende.
Offen sei dir dies Siegestor · so auch dir dies Segeltor.
Verschlossen sei dir dies Wogentor · so auch dir dies Waffentor.

REISESEGEN

Münchner Handschrift · 12. Jahrhundert

Ich schlief heut nacht so süße
Zu meines Herren Füßen.
Das heilige Himmelkind
Sei heut mein Friedenschild.
Das heut ließ mich aufstehn ·
In dessen Namens Gnade will ich heut gehn
Und will mich heut gürten
Mit des heiligen Gottes Worten ·
Daß mir alles hold ist ·
Was in dem Himmel ist ·
Die Sonn' und der Mond
Und der Tagesstern schön.
Wohl fühl ich heute frohen Mut ·
Heut fahr ich · Herr · in deiner Hut.
Sankt Mariae Leibgewand
Das sei heut mein Friedensgewand.
Aller meiner Feinde Waffen

diu ligen hiut und slaffen
und sin hiut also palwahs ·
als were   Sant Marien vahs ·
do si den heiligen Christum gebere
und doch ain rainiu mait were ·
min haupt si mir hiut stelin ·
dehainer slaht wafen snide dar in ·
min swert aine
wil ih von den segen scaiden ·
daz snide und bizze
alles daz ih ez haizze
von minen handen
und von niemen andern ·
der heilig himeltrut
der si hiut min halsperch gut · Amen ·

AUS DEM TOBIASSEGEN
Münchner Handschrift · 12. Jahrhundert

Dem gote dem niht verborgen ist
und des eigenschalc du bist ·
der an niemanne wenket ·
siner armen vil wol bedenket ·
der ruoche dich behüeten
durch sin vaterliche güete
über velt und durh walt
vor aller note manecfalt ·
vor hunger und vor durste ·
vor bosem geluste ·
vor hitze unde vor gefrore ·
got müeze din gebet erhoren
und dich haben schone
vor dem gaehen tode ·
du slafest oder wachest ·
in holze oder under dache ·

38

Müssen heut daliegen und schlafen
Und sei'n heut also spröd und sprock
Wie Sankt Marien Gelock ·
Da sie des heiligen Christ genesen
Und doch eine reine Maid gewesen.
Mein Haupt soll heut von Stahl sein ·
Keine Waffe schneid nicht hinein.
Mein Schwert alleinig
Will ich vom Segen scheiden ·
Das schneide und beiße
Alles · was ich es heiße
Mit meinen Händen
Und mit keines andern.
Der heilige Himmeltraut
Sei mein guter Halsberg heut. Amen.

AUS DEM TOBIASSEGEN
Münchner Handschrift · 12. Jahrhundert

Der Gott dem nichts verborgen ist
Und dem du leibeigen bist ·
Der von niemand wanket ·
Seiner Armen wohl gedenket ·
Der müsse dich behüten
Aus väterlicher Güte.
Über Feld und durch Wald
Vor allen Nöten mannigfalt ·
Vor Hunger und vor Dürsten ·
Vor bösem Gelüsten ·
Vor Hitze und vor Frösten.
Gott müsse dein Gebet erhören
Und dich fein schonen
Vor dem jähen Tode ·
Du schlafest oder wachest ·
Im Holz oder unter Dache.

dine vinde werden genideret ·
got sende dich gesund her widere
mit vil rehtem muote
zuo dinem eigen guote ·
gesegnet si dir der wec
über straze und über stec ·
da vor unde da hinden
gesegen dich die heiligen fünf wunden
ietweder halben dar eneben
geste dir der himeldegen
unde pflege diner verte
und füege dir guot geverte ·
in dem gotes fride du var ·
der heilic geist dich bewar ·
din herze si dir steinin ·
din lip si dir beinin ·
din houbet si dir stehelin ·
der himel si der schilt din ·
diu helle si dir vor versperret ·
allez übel si vor dir verirret ·
daz paradis si dir offen ·
elliu wafen sin vor dir verslozzen ·
daz si daz müezen miden ·
daz si dich niht versniden ·
der mane und ouch diu sunne
die liuhten dir mit wunne ·
die heiligen zwelfpoten
die eren dich vor gote ·
daz dich din herschaft gerne sehe ·
allez liep müeze dir geschehen ·

Deine Feinde werden erniedert ·
Gott send dich gesund herwieder
Mit dem rechten Mute ·
Zu deinem eigenen Gute.
Gesegnet sei dein Weg
Über Straße und über Steg ·
Da vorn und da hinten
Segnen dich die heiligen fünf Wunden.
An jeder Flanke neben
Stell sich ein Himmelsdegen
Und pflege deiner Wege
Und finde dir gute Pflege.
Im Frieden Gottes du fahr ·
Der Heilige Geist dich bewahr ·
Dein Herz sei dir steinen ·
Dein Leib sei dir beinen ·
Dein Haupt müsse stählern sein ·
Der Himmel sei der Schild dein ·
Die Hölle sei dir versperret ·
Alles Übel von dir verirret.
Das Paradies sei dir offen ·
Alle Waffen von dir verschlossen ·
Daß sie dies müssen meiden ·
Daß sie dich nicht zerschneiden.
Der Mond und auch die Sonne
Die leuchten dir mit Wonne ·
Die heiligen Zwölfboten
Die ehren dich vor Gotte ·
Daß dich deine Herrschaft gerne sehe:
Alles Liebe müsse dir geschehen . . . . .

DER EBER
Aus Notkers Rhetorik · 11. Jahrhundert

Der heber gat in litun · er tregit sper in situn ·
sin bald ellin   ne lazet vellin ·
imo sint fuoze   fuodermaze
imo sint purste   ebenho forste
unde zene sine   zwelifelnige ·

EIN KAMPFREIM
Aus Notkers Rhetorik · 11. Jahrhundert

Sose snel snellemo   pegagenet andermo ·
so uuirt vilo sliemo   firsniten sciltriemo ·

SPOTTVERS
St. Gallener Handschrift · 10. Jahrhundert

Liubene ersazta sine gruz
unde kab sina tohter uz ·
to cham aber Starzfidere ·
prahta imo sina tohter uuidere ·

NECKVERSE AUF MÄDCHEN
Münchner Handschrift · 13. Jahrhundert

Swaz hie gat umbe ·
daz sint allez megede ·
die wellent an man
alle disen sumer gan ·

DER EBER
Aus Notkers Rhetorik · 11. Jahrhundert

Der Eber geht in der Leite · er trägt den Speer in der Seite ·
Seine Kraft die pralle   läßt ihn nicht fallen.
Er hat Füße   von Fudermaße ·
Er hat Borsten   hoch wie Forste
Und hat Zähne   zwölf Ellen lange.

EIN KAMPFREIM
Aus Notkers Rhetorik · 11. Jahrhundert

Wenn ein Schneller einen Schnellen   andern kann stellen ·
Dann wird viel geschwinde   zerschnitten die Schildbinde.

SPOTTVERS
St. Gallener Handschrift · 10. Jahrhundert

Leubene setzte sein Hochzeitsbier
Und gab seine Tochter her ·
Da kam aber Sterzgefieder ·
Bracht ihm seine Tochter wieder.

NECKVERSE AUF MÄDCHEN
Münchner Handschrift · 13. Jahrhundert

Was hier hält Umzug ·
Das sind alles Maide genug.
Die gehn mit keinem Mann
Alle diesen Sommer lang.

43

TANZLIEDCHEN
Münchner Handschrift · 13. Jahrhundert

Ich will truren varen lan ·
uf die heide sulwir gan ·
vil liebe gespilen min ·
da sehwir der blumen schin ·

Ich sage dir · ich sage dir ·
min geselle · chum mit mir ·

Suziu minne · rame min ·
mache mir ein chrenzelin ·
daz sol tragen ein stolzer man ·
der wol wiben dienen chan ·

LIEBESLIEDCHEN
Münchner Handschrift · 13. Jahrhundert

Floret silva undique ·
nah mime gesellen ist mir we ·

Gruonet der walt allenthalben ·
wa ist min geselle alse lange ·

Der ist geriten hinnen ·
owi · wer sol mich minnen ·

LIEBESLIEDCHEN
Münchner Handschrift · 13. Jahrhundert

Chume · chume · geselle min ·
ih enbite harte din ·

Münchner Handschrift · 13. Jahrhundert

Trauern will ich lassen stehn ·
Wollen auf die Heide gehn ·
Ihr lieben Gespielen all ·
Da sehen wir der Blumen Schwall.

Ich sage dir · ich sage dir ·
Mein Geselle · komm mit mir.

Süße Minne · denke mein ·
Mache mir ein Kränzelein ·
Tragen soll es ein stolzer Mann ·
Der wohl Frauen dienen kann.

LIEBESLIEDCHEN
Münchner Handschrift · 13. Jahrhundert

Floret silva undique ·
Um meinen Gesellen ist mir weh.

Der Wald ist grün allenthalben ·
Wo ist mein Geselle so lange?

Er ist geritten von hinnen ·
O weh · wer soll mich minnen?

LIEBESLIEDCHEN
Münchner Handschrift · 13. Jahrhundert

Komme · komm · Geselle mein ·
Denn in Zittern harr ich dein ·

ih enbite harte din ·
chum · chum · geselle min ·

Suozer roservarwer munt ·
chum und mache mich gesunt ·
chum und mache mich gesunt ·
suozer roservarwer munt ·

DU BIST MEIN
Münchner Handschrift · 13. Jahrhundert

Du bist min · ich bin din ·
des solt du gewis sin
du bist beslozzen
in minem herzen ·
verlorn ist daz sluzzelin ·
du muost och immer darinne sin ·

LIEBESLIEDCHEN
Münchner Handschrift · 12. Jahrhundert

Auwe lip vor allem libe ·
wie kunde ich daz verdinen ·
umbe got und umbe dich ·
daz du · vrouwe · woldest minnen mich ·

Denn in Zittern harr ich dein ·
Komme · komm · Geselle mein.

Süßer rosenfarbner Mund ·
Komm und mache mich gesund ·
Komm und mache mich gesund ·
Süßer rosenfarbner Mund.

DU BIST MEIN
Münchner Handschrift · 13. Jahrhundert

Du bist mein · ich bin dein ·
Des sollst du gewiß sein ·
Du bist verschlossen
In meinem Herzen.
Verloren ist das Schlüsselein ·
Drum mußt du immer darinnen sein.

LIEBESLIEDCHEN
Münchner Handschrift · 12. Jahrhundert

Ach du Lieb ob allem Lieben ·
Wie könnt ich das verdienen ·
Wohl um Gott und wohl um dich ·
Daß du · Fraue · wolltest minnen mich?

I. DENKSPRÜCHE

1.–3. Züricher Handschrift · 12. Jahrhundert
4. Wiener Handschrift · 12. Jahrhundert
5. Münchner Handschrift · 12. Jahrhundert

1.

Swer an dem maentage gat ·
da er den fuoz lat ·
deme ist al die wochun
deste ungemacher ·

2.

Tief furt truobe
und schone wiphuore ·
sweme dar wirt ze gach ·
daz geruit in sa ·

3.

Der zi chilchun gat
und ane rue da stat ·
der wirt zeme jungistime tage
ane wafin resclagin ·
swer da wirt verteilet ·
der hat imer leide ·

4.

Al die welt mit grimme stet ·
der darunder muozic get ·
der mag wol verwerden ·
sin ere muoz ersterben ·

5.

Übermout diu alte
diu ritit mit gewalte ·
untrewe leitet ir den vanen ·

1.—3. Züricher Handschrift · 12. Jahrhundert

4. Wiener Handschrift · 12. Jahrhundert

5. Münchner Handschrift · 12. Jahrhundert

1.

Wer montags dahin lenkt ·
Wo er zu bleiben denkt ·
Dem ist für die ganze Woche
Ungemach angebrochen.

2.

Trüber Wasser Tiefe
Und schöner Huren Liebe ·
Wer danach drängt zu jach ·
Den gereuet es bald.

3.

Wer in die Kirche geht
Und reuelos drin steht ·
Der wird am Jüngsten Tage
Waffenlos erschlagen.
Wer alsdann wird gerichtet ·
Der ist für immer vernichtet.

4.

Grimmes voll ist alle Welt ·
Wer dazu sich müßig stellt ·
Muß gewiß verderben ·
Die Ehre muß ihm sterben.

5.

Frau Übermut · die Alte ·
Sie reitet dahin gewaltig.
Untreue führet ihr die Fahn ·

girischeit diu scehet danne
ze scaden den armen weisen ·
diu lant diu stant wol alliche envreise ·

II. SPERVOGEL
Minnesinger-Handschriften · 13./14. Jahrhundert

1.

Swel man ein guot wip hat
unde zeiner ander gat ·
der bezeichent daz swin ·
wie möhte ez iemer erger sin ·
ez lat den lutern brunnen
und leit sich in den trüeben pfuol ·
den site hat vil manic man gewunnen ·

2.

In der helle ist michel unrat ·
swer da heimüete hat ·
diu sunne schinet nie so lieht ·
der mane hilfet in nieht ·
noch der liehte sterne ·
ja müet in allez daz er siht ·
ja waer er da ze himel alo gerne ·

3.

Krist sich ze marterenne gap ·
er lie sich legen in ein grap ·
daz tet er dur die goteheit ·
damite lost er die kristenheit
von der heizen helle.
er getuot ez niemer mer ·
daran gedenke swer so der welle ·

Gierigkeit rennet ihre Bahn ·
Zum Schaden den armen Weisen:
Schrecknisse das ganze Land zerreißen.

II. SPERVOGEL
Minnesinger-Handschriften · 13./14. Jahrhundert

1.

Ein Mann · dem ein gutes Weib ersteht
Der doch zu einer andern geht ·
Der ist so viel als ein Schwein ·
Er könnte gar nicht ärger sein ·
Verläßt den lautern Bronnen ·
Legt sich in einen trüben Pfuhl ·
Doch hat den Brauch so mancher Mann gewonnen.

2.

In der Höll' ist gar viel Unrat ·
Wem dorten ward die Heimat ·
Dem scheint die Sonne nimmer licht ·
Ihm gibt der Mond Hilfe nicht ·
Noch auch die lichten Sterne.
Ja · alles müht ihn was er sieht ·
Ja · er wär dann im Himmelreich so gerne!

3.

Herr Christ zur Marterung sich gab ·
Er ließ sich legen hinein ins Grab.
Das tat Herr Christ aus Gottestum ·
Die Christenheit erlöst er drum
Von dem Höllenschwalle.
Das geschieht jetzt nimmer mehr ·
Daran gedenke jeder dem's gefalle.

4.

In himelriche ein hus stat ·
ein guldin wec darin gat ·
die siule die sint marmelin ·
die zieret unser trehtin
mit edelem gesteine.
da enkumpt nieman in
ern si vor allen sünden also reine ·

5.

Wurze des waldes
und grieze des goldes
und elliu apgründe
diu sint dir · herre · künde ·
diu stent in diner hende ·
allez himeleschez her
daz enmöchte dich niht volloben an ein ende ·

GEDENKET DES TODES
Straßburger Handschrift · 11. Jahrhundert

Nu denchent · wib unde man ·
war ir sulint werdan ·
ir minnont tisa brodemi
unde wanint iemer hie sin ·
sie ne dunchet iu nie so minnesam ·
eina churza wila sund ir si han ·
ir ne lebint nie so gerno manegiu zit ·
ir muozent verwandelon disen lib ·

Ta hina ist ein michel menegi ·
sie wandon iemer hie sin ·
sie minnoton tisa wencheit ·
iz ist in hiuto vil leit ·
si neduhta sie nie so minnesam ·

4.

Ein Haus im Himmelreiche steht ·
Ein goldner Weg dahin geht.
Die Säulen sind aus Marmelstein ·
Zu unsres höchsten Herren Schein
Mit Kleinod überspielt.
Da kommt nur der hinein ·
Der sich von allen Sünden rein erhielt.

5.

Alle Kräutlein des Waldes ·
Alle Körnlein des Goldes
Und jeglicher Abgrund ·
Dir · Herr · ist alles kund ·
Und steht in Deinen Händen ·
Des Himmels ganzes Heer
Könnte Dich zu loben nicht vollenden.

GEDENKET DES TODES
Straßburger Handschrift · 11. Jahrhundert

Nun denket alle · Weib und Mann ·
Was aus euch soll werden dann.
Ihr minnet diese Erdenwelt
Und wähnet stets hier zu sein.
Dünkt sie euch noch so minnenswert ·
Nur kurze Frist wird euch gewährt:
Lebtet ihr noch so gerne manche Zeit ·
Ihr müßt verwandeln diesen Leib.

Schon ging eine Menge Menschen ein ·
Die wähnten stets hienieden sein.
Sie minnten diese Ärmlichkeit ·
Das tut ihnen heute sehr leid.
Dünkte sie es noch so minnenswert ·

si habent si ie doh verlazen ·
ich neweiz war sie sint gevarn ·
got muozze se alle bewarn ·

Si hugeton hie ze lebinne ·
sie gedahton hin zu varne
ze der ewigin mendi ·
da sie iemer solton sin ·
wie luzel sie des gedahton ·
war sie ze iungest varn solton ·
nu habint siu iz bevunden ·
sie warin gerno erwunden ·

Paradysum daz ist verro hinnan ·
tar chom vil selten dehein man ·
taz er her wider wunde
unde er uns taz mare brunge ·
ald er iu daz gesageti ·
weles libes siu dort lebetin ·
sulnd ir iemer da genesen ·
ir muozint iu selbo die boten wesen ·

Tisiu werlt ist also getan ·
swerz uo ir beginnet van ·
si machot iz imo alse wunderlieb ·
von ihr chomen nemag er niet ·
so begriffet er ro gnuoge ·
er habeti ir gerno mera ·
taz tuot er unz an sin ende ·
so ne habit er hie noh tenne ·

Ir wanint iemer hie lebin ·
ir muozt is ze iungest reda ergeben.
ir sulent all ersterben ·
ir ne mugent is niewit uber werden ·
ter man einer stuntwilo zergat ·

Jetzt sind sie weg von ihr gekehrt:
Ich weiß nicht wohin sie sind gefahrn.
Gott müsse sie alle bewahrn!

Sie sannen sich hier zu laben ·
Sie gedachten dann hin zu fahren
Zu der ewigen Wonne ·
Da sie immer sein wollten.
Wie wenig sie des gedachten ·
Wohin sie endlich würden fahren!
Nun haben sie's gefunden ·
Des sie gerne wären entbunden.

Zum Paradies ist's weit hinan:
Gar selten kommt dahin ein Mann ·
Der sich wieder her wende
Und uns die Märe spende
Oder euch das melde ·
Wes Leibes sie dort leben.
Solltet ihr je dort genesen ·
Müßt ihr selbst euch die Boten werden.

Mit dieser Welt ists so getan ·
Wer nach ihr beginnt zu fahn ·
Dem macht sie es so wunderlieb ·
Los von ihr kommen mag er nie.
Ergreifet er sie sehr ·
So hätt' er gerne mehr.
Das tut er bis an sein Ende ·
Und dann hält er noch fest.

Ihr wähnt hier immer zu leben ·
Einst müßt ihr Antwort geben.
Ihr müsset alle sterben ·
Ihr könnt des nicht ledig werden ·
In einem Nu der Mann vergeht ·

also skiero so diu brawa zesamine geslat
tes wil ih mih vermezzen ·
so wirt sin skiero vergezzen.

got gescuof iuh allo ·
ir chomint von einim manne ·
to gebot er iu ze demo lebinne
mit minnon hie ze wesinne ·
taz ir warint als ein man ·
taz hant ir ubergangen ·
habetint ir anders niewit getan ·
ir muosint is iemer scaden han ·

Nechein man ter ne ist so wise ·
ter sina vart wizze ·
ter tot ter bezeichint ten tieb ·
iuer ne lat er hie niet ·
er ist ein ebenare ·
nechein man ist so here ·
er ne muoze ersterbin ·
tes ne mag imo der scaz ze guote werden ·

Habit er sinin richtuom so geleit ·
daz er vert an arbeit ·
ze den sconen herbergon
vindit er den suozzin lon ·
des er in dirro werlte niewit gelebita ·
so luzil riwit iz in da ·
in dunchit da bezzir ein tac ·
tenne hier tusinc · teiz war ·

Ter man ter ist niwit wise ·
ter ist an einer verte ·
einin boum vindit er sconen ·
tar undir gat er ruin ·
so truchit in der slaf ta ·

Schnell wie die Brau zusammen sich dreht.
Des will ich mich vermessen ·
So schnell wird sein vergessen.

Gott erschuf euch alle ·
Ihr kommt von *einem* Manne.
Drum gebot er euch hier im Leben
Brüderlich drin zu stehen ·
Daß ihr wie *ein* Mann wäret:
Das habt ihr überhört.
Hättet ihr anders nichts getan ·
Davon müßtet ihr Schaden han.

Kein Mensch ist so weise ·
Daß er seinen Hingang wisse.
Der Tod kommt als ein Dieb ·
Euer keinen läßt er nicht.
Er ist ein Ausgleicher:
Da ist nirgend ein Reicher ·
Der nicht müsse sterben:
Sein Schatz kann ihm nicht helfen.

Wenn er seinen Reichtum so befahl ·
Daß er hinfährt ohne Mühsal:
In den Herbergen schön
Findet er den süßen Lohn.
Daß er in dieser Welt nicht leben wollt ·
So gering ihn *dort* das reuen soll:
Ihn dünket besser dort ein Tag ·
Als hier tausend · das ist wahr.

Der Mann ist nimmer weise ·
Der auf einer Reise ·
Einen schönen Baum sieht ·
Und darunter ruhn geht:
Dann drücket ihn der Schlaf ·

so vergizzit er dar er scolta ·
als er denne uf springit ·
wie ser iz in denne riwit . . . . . .

Ja du vil ubeler mundus ·
wie betriugist tu uns sus ·
du habist uns gerichin ·
des sin wir allo besuichin ·
wir ne verlazen dih ettelichiu zit ·
wir verliesen sele unde lib ·
also lango so wir hie lebin ·
got habit uns selbwala gegebin ·

Trohtin · chunic here ·
nobis miserere ·
tu muozist uns gebin ten sin ·
tie churzun wila so wir hie sin ·
daz wir die sela bewarin ·
wanda wir dur not hinnan sulen varn ·

MARIENLIED
Melker Handschrift · 12. Jahrhundert

Iu in erde
leit Aaron eine gerte ·
diu gebar mandalon ·
nüzze also edile ·
di süezze hast du füre braht ·
muoter ane mannes rat ·
Sancta Maria ·

Iu in deme gespreidach
Moyses ein fiur gesach ·
daz daz holz niene bran ·
den louch sah er obenan ·

Daß er sein Ziel vergaß ·
Wenn er dann aufspringt ·
Wie sehr ihn dann Reu durchdringt . . . . .

Ja du sehr böser Mundus ·
Wie betrügst du uns zum Schluß!
Hast dich wider uns gerichtet ·
Nun sind wir alle vernichtet.
Verlassen wir nicht dich bei gewisser Zeit ·
Dann müssen verlieren wir Seel und Leib.
Solange wir hier leben ·
Hat Gott uns Selbstwahl gegeben.

Gebieter · König hehre ·
Nobis miserere!
Du müssest uns geben den rechten Sinn ·
Die kleine Weile · die wir hier sind ·
Daß wir die Seele bewahren ·
Wenn aus Not wir von hinnen fahren.

MARIENLIED
Melker Handschrift · 12. Jahrhundert

Nun in Erde
Legt' Aaron eine Gerte ·
Die gebar Mandeln ·
Nüsse so edel ·
Die Süße hast du uns gebracht ·
Mutter ohne Mannesrat ·
Sancta Maria.

Nun in einem Strauch
Moses ein Feuer erschaut.
Das Holz kam nicht in Brand ·
Die Lohe drüber stand ·

der was lanch unde breit ·
das bezeichint dine magetheit ·
Sancta Maria ·

Gedeon dux Israel ·
nider spreit er ein lamphel ·
daz himeltou die wolle
betouwete almitalle ·
also chom dir diu magenchraft ·
daz du wurde berehaft ·
Sancta Maria ·

Mersterne · morgenrot ·
anger ungebrachot ·
dar ane stat ein bluome ·
diu liuhtet also scone ·
si ist under den anderen
so lilium undern dornen ·
Sancta Maria ·

Ein angelsnuor geflohtin ist ·
dannen du geborn bist ·
daz was diu din chunnescaft ·
der angel was diu gotes chraft ·
da der tot wart ane irworgen ·
der von dir wart verborgen ·
Sancta Maria ·

Ysayas der wissage ·
der habet din gewage ·
wie vone Jesses stamme
wüesse ein gerten imme ·
da vone scolt ein bluome varen ·
diu bezeichint dich und din barn ·
Sancta Maria ·

60

Die war lang und breit ·
Zeigt an deine Magdlichkeit ·
Sancta Maria.

Gedeon Dux Israel ·
Spreitet hin ein Lammfell ·
Das Himmelstau die Wolle
Betaute all und alle.
So kam zu dir die starke Macht ·
Daß du wurdest schwerer Tracht ·
Sancta Maria.

Meerstern · Morgenrot ·
Anger ohn der Brache Not ·
Auf dem eine Blume keimet ·
Die also schön scheinet ·
Die unter den andern steht
Wie die Lilie im Dornenbeet ·
Sancta Maria.

Eine Angelschnur geflochten ist ·
Seit du geboren bist ·
Dein edler Stamm hat die geschafft ·
Die Angel war die Gotteskraft ·
Dran mußt der Tod ersticken ·
Den du nicht durftest erblicken ·
Sancta Maria.

Ysaias Wahrsagen
Konnt zu verkünden wagen ·
Wie an Jesses Stamm
Wüchs eine Gerte heran ·
Aus der eine Blum entspringt ·
Zeigt an dich und dein Kind ·
Sancta Maria.

Do gehit ime so werde
der himel zuo der erde ·
da der esil unt daz rint
wole irchanten daz vrone chint ·
do was diu din wambe
ein chrippe deme lambe ·
Sancta Maria ·

Duo gebaere du daz gotes chint ·
der unsih alle irloste sint
mit sinem heiligen bluote
von der ewigen noete ·
des scol er iemer globet sin ·
vile wole gniezze wir din ·
Sancta Maria ·

Beslozzeniu borte ·
entan deme gotes worte ·
du waba triefendiu ·
pigmenten so volliu ·
du bist ane gallen
glich der turtiltuben ·
Sancta Maria ·

Brunne besigelter ·
garte beslozzener ·
dar inne fliuzzit balsamum ·
der waezzit so cinamomum ·
du bist sam der cederboum ·
den da fliuhet der wurm ·
Sancta Maria ·

Cedrus in Libano ·
rosa in Jericho ·
du irwelte mirre ·
du der waezzest also verre ·

Da durften Gatten werden
Der Himmel und die Erde ·
Wie der Esel und das Rind
Beid' erkannten das hohe Kind ·
Da warst du die Amme
Und Krippe dem Lamme ·
Sancta Maria.

Da gebarest du den Gottessohn ·
Der uns erlöset alle schon
Mit seinem heiligen Blut
Von der ewigen Not.
Des soll er stets gelobet sein ·
Wie gar erfreuen wir uns dein ·
Sancta Maria.

Verschlossene Pforte ·
Aufgetan Gottes Worte ·
Wabe du triefende ·
Von Würzen quillende ·
Du bist ohne Galle
Gleich der Turteltaube ·
Sancta Maria.

Brunnen versiegelter ·
Garten verriegelter ·
Darin fließet Balsamum ·
Das atmet wie Cynamomum.
Du bist als wie der Zederbaum ·
Den da fliehet der Wurm ·
Sancta Maria.

Zedrus in Libano ·
Rosa in Jericho ·
Du erwählte Myrrhe ·
Atmest ins Gevierte ·

du bist uber engil al ·
du besuontest den Even val ·
Sancta Maria ·

Eva braht uns zwiscen tot ·
der eine ienoch richsenot ·
du bist daz ander wib ·
diu uns brahte den lib ·
der tiufel geriet daz mort ·
Gabrihel chunte dir daz gotes wort ·
Sancta Maria ·

Chint gebaere du magedin ·
aller werlte edilin ·
du bist gelich deme sunnen ·
von Nazareth irrunnen ·
Hierusalem gloria ·
Israhel laeticia ·
Sancta Maria ·

Chuniginne des himeles ·
porte des paradyses ·
du irweltez gotes hus ·
sacrarium sancti spiritus ·
du wis uns allen wegente
ze jungiste an dem ente ·
Sancta Maria ·

STROPHEN EINES MARIENLIEDES
Arnsteiner Handschrift · 12. Jahrhundert

Daz himel und erden solde erfrowen ·
daz kint · daz ce storene quam unsen ruwen ·
an aller slahte ser iz van dir quam ·
alsiz godes kinde alleineme gezam ·

Du bist über den Engeln all ·
Du sühntest der Eva Fall ·
Sancta Maria.

Eva bracht uns zwiefachen Tod ·
Noch währt des einen Machtgebot.
Du aber bist das andere Weib ·
Die uns bracht den lebendigen Leib.
Der Teufel bereitete den Mord ·
Gabriel kündete dir das Gotteswort ·
Sancta Maria.

Das Kind gebarst du Mägdelein ·
Aller Welt Edelschein ·
Gleich der Sonnen ·
Von Nazareth entglommen ·
Hierusalem Gloria ·
Israel laetitia ·
Sancta Maria.

Königin im Himmelreich ·
Pforte vom Paradeis ·
Auserwählte Gottesburg ·
Sacrarium sancti spiritus ·
Du wolle dich zu uns wenden
Letztlich an unserm Ende ·
Sancta Maria.

STROPHEN EINES MARIENLIEDES
Arnsteiner Handschrift · 12. Jahrhundert

Das erfreuen sollte Himmel und Erde ·
Das Kind · kommt lösen unsre Beschwerde ·
Fern aller Art von Weh es von dir kommt ·
Wie es dem Gotteskind alleine frommt.

Van der sunnen geit daz dageliet ·
sine wirdet umbe daz du dunkelere niet ·
nog bewollen ward din megedlicher lif ·
alleine gebere du daz kint · heiligez wif ·

Sint du daz kint gebere ·
bit alle du were
luter unde reine
van mannes gemeine ·
swenen so daz dunket unmugelich ·
der merke daz glas daz dir is gelig ·
daz sunnen liet schinet durg mittlen das glas ·
iz is alinc unde luter sint alsiz e des was ·
durg daz alinge glas geit iz in daz hus ·
daz vinesternisse verdrivet iz dar uz ·

Du bis daz alinge glas da durg quam
daz liet daz vinesternisse der werlde benam ·
van dir schein daz godes liet in alle die lant ·
do van dir geboren warth unse heilant ·
daz beluhte dich und alle cristenheit ·
du in den ungelouven verre was verleit ·
iz vant dich · iz liz dich bit alle luter ·
alse du sunne deit daz glasevinster ·

MARIENSEQUENZ
Handschrift aus Muri · 12. Jahrhundert

Ave · vil liehter meres sterne ·
ein lieht der cristenheit · Maria · aller magede ein lucerne ·

Freuwe dich · gotes zelle ·
beslozzeniu cappelle ·
do du den gebaere ·
der dich und al die welt gescuof ·

66

Von der Sonne geht aus das Tageslicht:
Und dennoch wird sie dunkler nicht ·
So ward nicht bemakelt dein mägdlicher Leib ·
Allein gebarest das Kind du · heiliges Weib.

Seit du des Kindes genesen ·
Bist einzig du gewesen
Lauter und rein
In der Menschen Gemeine.
Wen das dünket zu wunderreich ·
Der merk aufs Glas das ist dir gleich ·
Das Sonnenlicht scheinet mitten durchs Glas ·
Es ist blinkend und lauter dann wie eh es war.
Durch das blinkende Glas geht es ein ins Haus ·
Die Finsternis vertreibt es daraus.

Du bist das blinkende Glas · dadurch kam
Das Licht · das Finsternis der Welt benahm.
Von dir schien Gottes Licht in alles Land ·
Da von dir geboren ward unser Heiland.
Es erleuchtete dich und alle Christenheit ·
Da falscher Glaube sie verführet weit.
Es fand dich · es ließ dich völlig lauter ·
So wie die Sonne hellt das Glas im Fenster.

MARIENSEQUENZ
Handschrift aus Muri · 12. Jahrhundert

Ave · hell-lichter Meeres Stern ·
Du Licht der Christenheit · Maria · aller Mägde Lucerne.

Freue dich · Gottes Zelle ·
Verschlossene Kapelle ·
Da du den gebarest ·
Der dich und all die Welt erschuf ·

nu sich · wie reine ein vaz · du maget do waere ·
Sende in mine sinne ·
des himeles küniginne ·
ware rede süeze ·
daz ich den vater und den sun
und den vil heren geist gelouben müeze ·

Jemer maget an ende ·
muoter ane missewende ·
frouwe · du hast versüenet · daz Eve zerstorte ·
diu got überhorte ·
Hilf mir · frouwe here ·
troest uns armen dur die ere ·
daz din got vor allen wiben ze muoter gedahte ·
als dir Gabriel brahte.

Do du in vernaeme ·
wie du von ers erkaeme ·
din vil reiniu scam
erscrac von dem maere ·
wie maget ane man
iemer kint gebaere ·

Frouwe · an dir ist wunder ·
muoter und maget dar under ·
der die helle brach ·
der lac in dime libe ·
unde wurde iedoch
dar under niet ze wibe ·

Du bist allein der saelde ein porte ·
ja wurde du swanger von worte ·
dir kam ein kint ·
frouwe · dur din ore ·
des cristen · juden und die heiden sint ·
und des genade ie was endelos ·

Nun sieh · welch reiner Kelch · o Magd · du warest ·
Send in meinen Sinn ·
Du Himmelskönigin ·
Wahrer Rede Linde ·
Daß ich an Vater und an Sohn
Und an den Heiligen Geist den Glauben finde.

Immer Magd unverwandelt ·
Mutter unmißhandelt ·
O Frau · du hast gesühnt · was Eva zerstörte ·
Die Gott überhörte ·
Hilf mir · Frau · du hehre ·
Tröst uns Arme um die Ehre ·
Daß Gott als seiner Mutter dein gedachte ·
Und Gabriel Botschaft brachte.

Wie du erst von dir kamest ·
Da du ihn vernahmest!
Wie du voll reiner Scham
Erschrakest ob der Märe ·
Wie die Magd ohne Mann
Je ein Kind gebäre.

Frau · du bist das Wunder ·
Mutter und Magd jetzunder:
Der die Hölle bricht ·
Der lag in deinem Leibe ·
Du aber wurdest nicht ·
Jetzunder nicht zum Weibe.

Allein du bist der Seligkeiten Pforte.
Wahrlich du schwanger von dem Worte:
Fraue · durch dein Ohr ·
Kam dir ein Kind ·
des Christen · Juden und die Heiden sind ·
Und dessen Gnade nie zu Ende führt.

aller magede ein gimme ·
daz kint dich ime ze muoter kos ·
Din wirdecheit diun ist niet kleine ·
ja trüege du maget vil reine
daz lebende brot ·
daz was got selbe
der sinen munt zuo dinen brüsten bot
und dine brüste in sine hende vie ·
owe · küniginne ·
waz gnaden got an dir begie ·

La mich geniezen · swenne ich dich nenne ·
daz ich · Maria frouwe · daz geloube und daz an dir erkenne ·
daz nieman guoter
mac des verlougen · dune siest der erbarmde muoter ·
la mich geniezen · des du ie begienge
in dirre welt mit dime sune · so du in mit handen zuo dir vienge.
wol dich des kindes ·
hilf mir umb in · ich weiz wol · frouwe · daz dun senften vindes.
Diner bete mac dich din lieber sun nie mehr verzihen ·
Bite in des · daz er mir ware riuwe müeze verlihen ·

Und daz er dur den grimmen tot ·
den er leit dur die mennischeit ·
sehe an mennischliche not ·
und daz er dur die namen dri
siner cristenlicher hantgetat
gnaedic in den sünden si ·

Hilf mir · frouwe · so diu sele von mir scheide ·
so kum ir ze troste ·
wan ich geloube · daz du bist
muoter unde maget beide ·

Du aller Mägde Schmuck ·
Das Kind zu seiner Mutter dich erkürt.
Wie ist deine Tugend ungemeine ·
Wahrlich du trugest · du Reine ·
Das lebendige Brot ·
Das war Gott · Er der
Selbst seine Lippen deinen Brüsten bot
Und deine Brüst' in seine Hände ließ.
O weh · Königinne ·
Was Gott an Gnaden dir erwies!

Laß mich genießen · wenn ich je dich nenne ·
Daß ich · Maria Frau · das glaub und stets von dir bekenne ·
Keiner der Frommen
Vergessen dürfe · du seist als Mitleids-Mutter kommen.
Laß mich genießen · was du dir erringest ·
Als du den Sohn hier in der Welt mit deinen Händen fingest.
Wohl dir des Kindes!
Hilf mir um ihn · wirst Frau · ich weiß · ihn freundlich finden.
Deiner Bitte tut sich dein lieber Sohn nimmer entziehen:
Bitt ihn darum · mir werde wahre Reue verliehen.

Und daß er um den grimmen Tod ·
Den er litt um die Menschenwelt ·
Ansehen woll' menschliche Not ·
Und daß er um der Namen Drei
Seiner christeigenen Hände Werk
Gnädig in den Sünden sei.

Hilf mir · Fraue! wann die Seele will entweichen ·
Komm ihr zu Troste ·
Denn sieh · ich glaube · daß du bist
Mutter und Magd insgleichen.

Man sagit von dutischer zungen ·
siu si unbetwungen ·
ze vogene herte ·
swer si dicke berte ·
si wurde wol zehe ·
als dem stale ir geschee ·
der mit sinem gezouwe
uf dem anehouwe
wurde gebouge ·
swi ihz gezouge ·
ih wil spanin minen sin
zo einer rede · an der ich bin
ane gedhenet uil cranc ·
mac sih enthalden min gedanc ·
unz ih si geenden ·
so weiz ih · daz genenden
me tut dan maze
an sulhen anlaze ·

Ih grifen an den uollemunt
unde sterke minen funt
mit dem eristen sinne ·
der under unde inne
so gewurzelet ist ·
wirt mir state unde frist ·
ih gezuhe uz im einen
zo den fullesteinen
so maniges sinnis uolleist
daz mir sin unde geist
gemuot werdent beide ·
e ih dar abe scheide ·

Straßburger Handschrift · 12. Jahrhundert

Man sagt von der deutschen Zunge ·
Sie sei nicht bezwungen ·
Sei hart zu fügen.
Wer sie oft schlüge ·
Dem würde sie schmeidig ·
Wie Stahl zart und schneidig ·
Der vom Hammergestoß
Auf dem Amboß
Biegsam springe.
Daß mirs gelinge ·
Will ich ausspannen meinen Sinn
Zu einer Rede · zu der ich bin
Hingezogen bis jetzt nur schlaff.
Halt ich den Gedanken straff ·
Bis sie ausgetragen ·
So weiß ich wohl · daß Wagen
Mehr als Mäßigung mache
Bei solcher Sache.

Ich greife in den Untergrund
Und stärke meinen Fund
Mit dem All-ersten Sinn ·
Der drunten und drin
Tief verwurzelt ist.
Hab ich Stetigkeit und Frist ·
So hol ich aus ihm · dem Einen ·
Mit den Grundsteinen
Die Fülle manchen Sinnes herbei ·
Daß mir Sinn und Geist die zwei
Wacker bleiben beide ·
Bis ich vom Werke scheide.

Der eriste sin is so getan ·
den ih ze fullemunde han
under di andern geleit ·
is erschrikket min freuilheit ·
swenne ih neigen dar an ·
er ist allir sinne vane ·
ir zil unde ir zeichen ·
ih ne mac sin niht gereichen ·
swi ih in lege unde
zo dem fullemunde ·
daz komet doch also ·
er is mir wilen zeho ·
wilen is er mir eben
als in der hat gegeben ·
der wunderlich heizet
unde umbe kreizet
himel unde erden ·
der liez den sin gewerden ·

Der selbe sin der ist sin ·
der mir in gab · di sint min ·
di ih dar abe han gezogen ·
ih bin gebougit unde gebogen
baz dan ih were ·
ih spien mih zu sere ·
do ih di sinne beschiet ·
noh nentlazen ih mih niet ·
ih wil an miner maze donen ·
unz ih geweichen und gewonen
in dutischer zungen vor baz ·
si ist mir noh al ze laz ·

Anegin und ende ·
dinen geist mir sende
zo minem beginne ·
blib mit mir derinne ·

Solchen Wesens ist der erste Sinn ·
Den ich als Urgrund hin
Unter die andern will legen ·
Daß mich Schreck faßt · weil verwegen
Ich mich neige bis auf diesen Plan.
Er ist aller Sinne Fahn ·
Ihr Ziel und ihr Zeichen.
Ich kann nicht an ihn reichen ·
Leg ich ihn auch zur Stund
Hin als Urgrund.
Das kommt daher doch ·
Bisweilen ist er mir zu hoch ·
Bisweilen gleicht er mir eben ·
So wie ihn der mir gegeben ·
Der Wunderbar heißet
Und rings umkreiset
Himmel und Erde.
Der ließ den Sinn mir werden.

Dieser selbe Sinn und der ist Sein ·
Des · der ihn gab · jene sind mein ·
Die ich aus ihm gezogen ·
Ich bin gebeuget und gebogen ·
Mehr denn ich je gewesen.
Ich überspannte mein Wesen ·
Da ich die Sinne zu mir beschieden.
Will mich noch nicht entlassen in Frieden.
An meinem Maße sei noch gefrönet ·
Bis sich erweichet und gewöhnet
Meine deutsche Rede hat ·
Sie ist mir noch allzu matt.

Du Anbeginn und Ende ·
Deinen Geist mir sende
Zu meinem Beginnen ·
Bleib mit mir darinnen ·

unz ih deruz muge komen ·
diz mere daz ih han vernomen
und ih hie wil sagen
daz gescach in den tagen ·
do din sun wart geborn
uon einer frouwen uz irkorn ·
di mutir ist unde maget ·
di mir ze mitter naht taget
und in vinsternisse luhtet
und min herze irvuhtet ·
swenne ih erlechen ·
di mih heizit sprechen ·
so min zunge ist trocken ·
di mih · so ih bocken ·
wider uf rihtet ·
di mih berihtet ·
swenne ih awegie gen ·
di mih heizet uf sten ·
swenne ih nider uallen ·
siu ist uns allen
komen ze heile ·
si hat uns von dem seile
unser viende erlost ·
si ist uns allir dinge trost ·

In disem ellende
zo unsis libis ende
sol si uns gutende sin ·
si hat den waren sunneschin
uf der erden gwunnen ·
manen unde sunnen ·
di sterren si ubirblichit ·
ir kuscheit gelichit
der lylien an der wize ·
in der helle wize
is siu ein lidigeren ·

Bis ich heraus mag kommen.
Diese Mär · die ich vernommen
Und die ich nun will sagen ·
Die begab sich in den Tagen ·
Da dein Sohn ward geboren
Von einer Frau so auserkoren ·
Die da Mutter ist und Magd ·
Die zur Mitternacht mir tagt ·
In den Finsternissen leuchtet ·
Die das Herz mir feuchtet ·
Wenn es verschmachte ·
Mich zum Reden brachte ·
War mir die Zunge trocken ·
Die mich · tu ich bocken ·
Wiederaufrichtet ·
Die mich recht richtet ·
Will ich auf Abwege gehn ·
Die mich heißet aufstehn ·
Wenn ich niederfalle ·
Die für uns alle
Kommen ist zum Heile ·
Die uns von dem Seile
Unsrer Feinde erlöste ·
Die uns über alles tröste.

In diesem Elende
An unsers Lebens Ende
Soll sie begütigend bei uns sein.
Sie hat den wahren Sonnenschein
Für die Erde gewonnen.
Mond und Sonne ·
Die Sterne vor ihr erbleichen.
Ihre Keuschheit tut gleichen
Der Lilie auf den Auen.
In der Hölle Grauen
Ist sie ein Gesunden.

gwunden unde seren
ein plaster unde semfticheit ·
in der barmherzicheit
imer bereite ·
der verleiten geleite
wider an di hulde
unde von der sculde
wider an daz rehte ·
von dem unrehte
wider an di gnade ·
von der ungenade
ze ruwe und ze wunne ·
uon judischem kunne
alse von dorne geborn ·
ein reht rosa ane dorn ·

Aller wibe bluome
ze lobe und ze roume ·
aller magide crone ·
gib mir ze lone ·
daz ih dih loben muze ·
wi turren mih di vuze
vor angisten tragen ·
daz ih ir lob wil sagen ·
di lob hat an ende ·
wi turren mine hende
ir lob scriben ·
di vor allen wiben
gesegent muz imer wesen ·
wi getar min munt ir lob lesen ·
wi getar min ouge ir lob sen ·
daz ir gnaden ist geschen ·
wi tar ih daz kunden ·
sit ih von den sunden
bin ein unreine vaz ·
wi tar ih loben vor baz

Schaden und Wunden
Ein Pflaster · eine Linderung ·
Sie zur Erbarmung
Immer bereit.
Der Verleiteten Geleit
Wieder hin zur Huld
Und von der Schuld
Wieder zum Recht ·
Von dem Unrecht
Wieder zur Gnade ·
Von der Ungnade
Zu Frieden und Frommen.
Von jüdischem Herkommen
Gleichwie aus Dornen geborn ·
Recht eine Rose ohne Dorn.

Aller Frauen Blume
Allen zu Lob und Ruhme ·
Aller Mägde Krone:
Gib mir zum Lohne ·
Daß ich dich loben müsse!
Wie trauen meine Füße
Vor Ängsten mich zu tragen ·
Daß ich ihr Lob will sagen ·
Da Lob sie hat ohn Ende?
Wie trauen meine Hände
Ihr Lob zu schreiben ·
Die vor jedem Weibe
Stets gesegnet ist gewesen?
Wie traut mein Mund ihr Lob zu lesen?
Wie traut mein Aug ihr Lob zu sehn?
Daß an ihr Gnade ist geschehn ·
Wie trau ich das zu künden ·
Nachdem ich aller Sünden
Doch bin ein unreines Faß?
Wie trau zu loben ich fürbaß ·

di des lobis ist so vol ·
daz ih durh einer naldin hol
einen olbent e brehte ·
e ih daz irdehte ·
daz si eine lobis hat ·
min sin mir gar widerstat ·
wand ih niemer ne mac
ubirluhten den tac ·

AUS DEM ANNOLIED
12. Jahrhundert

Duo sih Lucifer duo ce ubile gevieng ·
unt Adam diu godis wort ubirgieng ·
duo balch sigis got desti mer ·
daz her anderiu siniu werch sach rehte gen ·
der mane unter sunne ·
di gebint ire liht mit wunnen ·
die sterrin bihaltent ire vart ·
si geberent vrost unte hizze so starc ·
daz fuir havit ufwert sinin zug ·
dunnir unte wint irin vlug ·
di wolken dragint den reginguz ·
nidir wendint diu wazzer irin vluz ·
mit bluomin cierint sich diu lant ·
mit loube dekkit sich der walt ·
daz wilt havit den sinin ganc ·
scone ist der vugilsanc ·
ein iwelich ding die e noch hat ·
diemi got van erist virgab ·
newere di zwa gescephte ·
die her gescuoph die bezziste ·
die virkerten sich in die dobeheit ·
dannin huobin sich diu leith . . . . .

. . . .

Die der so viel Lob gehör ·
Daß durch einer Nadel Öhr
Eh'r ein Kamel ich brächte ·
Eh ich das ausdächte ·
Wieviel die Eine Lob erfährt?
Mein Sinn ist gen mich gekehrt ·
Weil ich nimmer vermag
Überleuchten den Tag.

AUS DEM ANNOLIED
12. Jahrhundert

Da Lucifer sich im Bösen verfing
Und Adam an Gottes Wort sich verging ·
Da erboste Gott sich um so mehr ·
Als er seine andern Werke sah richtig gehn:
Den Mond und die Sonne ·
Die spenden ihr Licht mit Wonne ·
Die Sterne halten ihre Bahn ·
Sie gebären Frost und Hitze so klar ·
Das Feuer hat nach oben Zug ·
Donner und Wind haben ihren Flug ·
Die Wolken tragen den Regenguß ·
Hernieder wenden Wasser ihren Fluß ·
Mit Blumen ziert sich alles Land ·
Mit Laub bedecket sich der Wald ·
Das Wild hat seinen gewissen Gang ·
Schön erklingt der Vögel Sang:
Ein jegliches Ding hält noch das Maß ·
Das ihm Gott von Anfang an gab ·
Und nur jene beiden Geschöpfe ·
Die er schuf als Beste und Schönste ·
Die kehrten sich ab zur Narretei ·
Von da an begann das Leid . . . . .

. . . .

duo santin si den edelin Cesarem ·
dannin noch hiude kuninge heizzint keisere ·
si gavin imi manige scar in hant ·
si hiezin un vehtin wider diutschiu lant ·
da aribeite Cesar · daz ist war ·
mer dan cin jar ·
so her die meinstreinge man
niconde nie biduingan ·
ci jungist gewan hers al ci gedinge ·
daz soltin cin erin bringen ·

undir bergin ingegin Suaben
hiz her vanin uf haben ·
deri vordirin wilin mit heri
dari comin warin ubir meri
mit mislichemo volke ·
si sluogen iri gecelte
ane dem berge Suevo ·
dannin wurdin si geheizin Suabo ·
ein liuht ci radi vollin guot ·
redispehe genuog ·
die sich dikke des vure namin ·
daz si guode rekkin werin ·
woli vertig unti wichaft ·
doch bedwang Cesar al iri craft ·

duo sich Beire lant wider in vermaz ·
di merin Reginsburch her sa bisaz ·
da vanter inne
helm unti brunigen ·
manigin helit guodin ·
die dere burg huohdin ·
wiliche knehti die werin ·
deist in heidnischin buochin meri ·
da lisit man ›Noricus ensis‹ ·
daz diudit ›ein suert Beierisch‹ ·

Da sandten sie den edeln Cäsar ·
Von dem noch heute Könige heißen Kaiser ·
Sie gaben manche Schar ihm in seine Hand ·
Sie hießen ihn kämpfen gegen das deutsche Land.
Da mühte sich Cäsar · das ist wahr ·
Mehr wie zehen Jahr
Und die urgewaltigen Leute
Wurden ihm dennoch nicht zur Beute.
Endlich tat er sie durch Verträge binden ·
Auf solche Weise Ehr' zu finden.

Ab den Bergen · hin gegen die Schwaben ·
Wollte er hoch seine Fahnen haben ·
Deren Altvordern weiland in Heerscharen
Übers Meer dahin gekommen waren ·
In großen Heerhaufen ·
So schlugen sie ihre Zelte auf
An dem Berge Schweben ·
Davon wurden sie geheißen Schwaben.
Leute im Rate sonderlich gut ·
Von Rede klüglich genug ·
Die nichts Besseres begehrten
Als wie gute Recken zu werden ·
Streitbar und bereit zur Fahrt ·
Doch Cäsar ihrer Herr ward.

Da sichs Bayerland wider ihn bekannt ·
Die berühmte Regensburg rasch er berannt ·
Da konnt er drinnen
Helm und Brünnen finden ·
Manchen Tapfern Guten
So der Burg war zur Hute:
Welche Ritter da gewesen ·
Kannst du in Heidenmären lesen ·
Da findet man ›Noricus ensis‹
Das heißt ›ein Schwert bayrisch‹ ·

wanti si woldin wizzen ·
daz ingeiniu baz nibizzin ·
diu man dikke durch den helm sluog ·
demo liute was ie diz ellen guot ·
dere geslehte dare quam wilin ere
von Armenie der herin ·
da Noe uz der arkin gieng ·
dur diz olizui von der tuvin intfieng ·
iri ceichin noch diu archa hat
uf den bergin Ararat ·
man sagit daz dar in halvin noch sin
die dir diutischin sprechin ·
ingegin India vili verro ·
Peiere vuorin ie ciwige gerno ·
den sigi · den Cäsar an un gewan ·
mit bluote muoster in geltan ·

Der Sahsin wankelez muot
dedimo leidis genuog ·
sor si wand al ubirwundini ·
so warin simi aver widiri ·
die lisit man · daz si wilin werin al
des wunterlichin Alexandris man ·
der die werlt in jarin zuelevin
irvuor unz an did einti ·
duo her ci Babilonie sin einti genam ·
duo cideiltin diz richi viere sini man ·
di dir al duo woltin kuninge sin ·
dandere vuorin irri ·
unzir ein deil mit scifmenigin
quamin nidir cir Eilbin ·
da die Duringe duo sazin ·
die sich wider un virmazin ·
cin Duringin duo dir siddi was ·
daz si mihhiliu mezzir hiezin sahs ·
der di rekkin manigiz druogin ·

84

Denn sie wollten wissen ·
Daß keins je besser gebissen.
Wie oft so eins die Helme durchschlug!
Dem Manne gab es Kraft genug.
Deren Geschlecht kam ehedem her
Von Armenien dem Hehren ·
Da Noah aus der Arche ging ·
Den Ölzweig von der Taube empfing.
Ihre Zeichen heut noch die Arche gelassen hat
Auf dem Berge Ararat.
Man sagt dort wären Leute ·
Die dir deutsch sprechen noch heute ·
Gegen Indien hin sehr entfernt.
Stets fuhren die Bayern zum Kampfe gern.
Der Sieg · den Cäsar ihnen abgewann ·
Mit Blut bezahlt ihn schwer der Mann.

Der Sachsen Wankelmut
Der tat ihm Leid an genug.
Kaum glaubt er sie seien überwunden ·
Gleich auf sie wider ihn stunden ·
Man liest wohl · daß sie ehemals waren
Des wunderreichen Alexander Scharen ·
Der die Welt in einem Jahrzwölfte nur
Bis an ihr Ende hin durchfuhr.
Da er zu Babylon sein Ende fand ·
Teilten sein Reich sich vier Männer dann ·
Die alle wollten Könige sein.
Die andern irrten landaus landein ·
Bis ein Teil mit einer Schiffesschar
Nieder zur Elbe gekommen war ·
Wo die Thüringe saßen ·
Die sich wider sie vermaßen.
Bei den Thüringen war damals Brauch
Ein groß Messer ›Sachs‹ zu heißen auch ·
Wie sie jene Recken viel trugen ·

damidi si die Duringe sluogin
mit untruwin ceiner sprachin ·
die ci vridin si gelobit hatin ·
von den mezzerin also wahsin
wurdin si geheizzin Sahsin ·
swie sie doch ire ding ane viengen ·
si muostin Romerin alle dienen ·

Cesar bigonde nahin
zuo den sinin altin magin ·
cin Frankin din edilin ·
iri beidere vorderin
quamin von Troie der altin ·
duo die Criechin die burch civaltin ·
duo ubir diu heri beide
got sin urteil so irsceinde ·
daz die Troieri sum intrunnin ·
die Criechin nigitorstin heim vundin . . .
Troieri vuorin in der werilte
widin irri af der sedele . . .
Franko gesaz mit den sinin
vili verri nidir bi Rini ·
du worhtin si duo mit vrowedin
eini luzzele Troie ·
den bach hizin si Sante
na demi wazzere in iri lante ·
den Rin hatin si vure diz meri ·
dannin wahsin sint vreinkischi heri ·
di wurden Cesari al underdan ·
si warin imi idoch sorchsam

· · · · · · · · · · · ·
Wer mohte gecelin al die menige ·
die Cesari iltin in gegine
van ostrit allinthalbin ·
alsi der sne vellit uffin albin ·

Womit sie die Thüringe schlugen ·
Untreulich trotz einer Zusage
Im beschworenen Friedensvertrage.
Von den Messern so lang gewachsen
Wurden sie geheißen Sachsen.
Doch wie sie ihre Sach auch anfingen ·
Den Römern mußten sie dienen.

Cäsar alsdann sich wandte
Zu seinen alten Verwandten ·
Den Edeln, den Franken.
Ihrer beider Ahnen
Kamen von Troja der alten.
Da die Griechen die Burg zerspalten ·
Da über die beiden Heere hin
Gottes Urteil also erschien ·
Daß von den Troern viele entrännen ·
Doch die Griechen nimmermehr heimfänden . . .
Die Troer irrten in der Welt weit
Herum nach der Siedelei . . .
Franko setzte sich mit den Seinen
Weit weg nieder zum Rheine.
Da errichteten sie mit Freude
Sich ein Klein-Troja ·
Den Bach nannten sie Xante*
Nach dem Wasser im Heimatlande.
Den Rhein hielten sie für das Meer ·
Da erwuchs dann das fränkische Heer ·
War alles Cäsar untertan ·
Doch erlebt er auch viel Sorge daran.

·   ·   ·   ·   ·   ·   ·   ·   ·   ·   ·

Wer konnte zählen die Menge ·
Die Cäsar entgegendrängte
Von Osten her allenthalben
So wie Schnee fällt auf den Alpen ·

* Gemeint ist der Xanthos.

mit scarin unti mit volkin ·
alsi der hagil verit van den wolkin ·
mit minnerigem herige
genant er an die menige ·
duo wart diz hertisti volcwig ·
also diz buoch quit ·
daz in disim merigartin
ie gevrumit wurde ·

Oy wi di wafini clungin ·
da diu marih cisamine sprungin ·
herehorn duzzin ·
beche bluotis vluzzin ·
derde diruntini diuniti ·
diu helli ingegine gliumiti ·
da di heristin in der werilte
suohtin sich mit suertin ·
duo gelach dir manig breitiu scari
mit bluote birunnin gari ·
da mohte man sin douwen ·
durch helme virhouwen ·
des richin Pompejis man ·
Cesar da den sige nam . . . .

. . . .
Da nach ving sich ane der ubile strit ·
des manig man virlos den lip ·
duo deme vierdin Heinriche
virwarrin wart diz riche ·
morht · roup enti brant
civuortin kirichin unti lant
von Tenemarc unz in Apuliam
von Kerlingen unz an Ungiran ·
den niman ni mohte widirsten ·
obi si woltin mit truwen unsamit gen ·
di stiften heriverte groze
widir nevin unti husginoze ·

Mit Scharen und vielem Volke ·
Wie Hagel fällt aus der Wolke ·
Mit viel geringerem Heere
Er sich gegen die Menge kehrte ·
Das war der härteste Völkerkrieg ·
Wie mans in unserm Buch liest ·
Der auf diesem Erdenrunde
Jemals stattgefunden.

O wie die Waffen erklangen ·
Da die Rosse zusammensprangen ·
Heerhörner ertosten ·
Bäche Blutes flossen ·
Die Erde da drunten erdonnerte groß ·
Es glimmte entgegen der Hölle Schoß ·
Da der Welt größte Herren
Sich suchten mit den Schwertern.
Da lagen manche große Scharen ·
Die von Blut ganz überronnen waren.
Da konnte man sehen erkalten ·
Dieweil ihre Helme zerspalten
Des großen Pompejus Mannen ·
Cäsar den Sieg gewann . . . .
. . . .
Danach begann der üble Streit ·
Davon mancher verlor Leben und Leib ·
Als unterm vierten Heinrich gleich
Verwirret wurde unser Reich.
Mord und Raub und Brand
Vernichtete Kirche und Land
Von Dänemark bis Apulien ·
Von Frankenland bis Ungarien.
Die denen niemand kann widerstehn ·
Wenn sie in Treue zusammengehn ·
Hatten große Heerfahrt beschlossen
Wider Neffen und Hausgenossen.

diz richi alliz bikerte sin gewefine
in sin eigin inedire ·
mit siginuftlicher ceswe
ubirwant iz sich selbe ·
daz di gidouftin lichamin
umbigravin ciworfin lagin
ci ase den bellindin
den grawin walthundin . . .

. . . .

AUS DEM EZZOLIED
Vorauer und Straßburger Handschrift · 11. Jahrhundert

Lux in tenebris
daz sament uns ist ·
der uns sin lieht gibit
neheiner untriwen er ne phligit ·
in principio erat verbum ·
daz ist der ware gotes sun ·
von einem worte er bechom
dirre werlte al zen gnadon . . .

Warer got · ich lobe dich ·
din anegenge gih ich ·
daz anegenge bistu · trehtin · ein ·
ja ne gih ich anderez nehein
der erde joh des himeles ·
wages unte luftes
unt des in den vieren ist ·
ligentes unte lebentes ·
daz gescuofe du al eino ·
dune bedorftest helfe dar zuo
ich wil dich zu anegenge han
in worten unt in werchan ·

Das Reich zog sein Schwert aus der Scheide
Wider sein eignes Eingeweide.
Mit sieggewohnter Rechte
Überwand er sich selber ·
Daß die getauften Leiber
Unbegraben liegen bleiben
Als Aas dem bellenden Munde
Der grauen Waldhunde . . . (›Wölfe‹)
. . . .

AUS DEM EZZOLIED
Vorauer und Straßburger Handschrift · 11. Jahrhundert

Lux in tenebris ·
Das in unsrer Mitten ist!
Der uns sein Licht gegeben ·
Der nie untreu gewesen ·
In principio erat verbum ·
Das ist der wahre Gottessohn:
Von einem Worte her er ward
Dieser Welt ganze Gnad . . .

Wahrer Gott · ich lobe dich ·
Deinen Anbeginn bekenne ich ·
Der Anbeginn bist du · Herr · alleine ·
Ich bekenne sonst keinen ·
Der Erde und des Himmels droben ·
Der Lüfte und der Wogen
Und des was in den vieren
Lebet und lieget:
Das schufest ganz allein du ·
Bedurftest Helfer nicht dazu.
Zum Anbeginn will ich dich merken
In Worten und in Werken.

Gott · du gescuofe al daz ter ist ·
ane dich nist niewiht.
ze aller jungest gescuofe du den man ·
nah dinem bilde getan ·
nah diner getete ·
so du gewalt hete ·
du bliese imo dinen geist in ·
daz er ewich mohte sin ·
noh er ne vorhte im den tot ·
ub er gehielte din gebot ·
zallen eren gescuofe du den man ·
du wessest wol sinen val ·

Wie der man getate ·
des gehuge wir leider note ·
dur des tiefeles rat
wie schier er ellente wart ·
vil harte gie diu sin scult
uber alle sin afterschunft.
si wurden alle gezalt
in des tiefeles gewalt ·
vil michel was diu unser not ·
do begunde richeson der tot ·
der helle wuchs der ir gewin ·
manchunne al daz vuor dar in ·

Duo sih Adam duo beviel ·
duo was naht unte vinstri ·
duo scinen hier in werlte
die sternen bire ziten ·
die vil luzzel liehtes baren ·
so berhte so si waren ·
wante sie beschatewota
diu nebelvinster naht ·
diu von demo tiefele chom ·
in des gewalt wir waron ·

92

Gott · du erschufest alles was ist ·
Ohne dich ist nichts nicht.
Zuallerletzt schufst du den Mann ·
Nach deinem Bilde angetan ·
Ganz nach deiner Art ·
Wie dir Gewalt ward.
Du bliesest deinen Geist ihm ein ·
Daß er ewig möge sein ·
Zu fürchten braucht er nicht den Tod ·
Wenn er nur halte dein Gebot.
Zu aller Ehr schufst du den Mann
Und wußtest wohl seinen Fall.

Wie dann der Mann gefehlt ·
Bleibt uns leider unverhehlt ·
Wie er bald elend ward
durch des Teufels bösen Rat:
Denn seine Schuld kam recht
Über all sein Geschlecht ·
Die wurden ganz umkrallt
Von des Teufels Gewalt.
So mächtig wurde unsre Not ·
Sein großes Reich erhob der Tod ·
Der Hölle wuchs auf ihr Gewinn:
Das Menschenheer fuhr all dahin.

Da Adam sich fallen ließ ·
Da wars Nacht und finster tief.
Nun erschienen in der Welt
Zu ihrer Zeit die Sterne ·
Die wenig Licht gebaren ·
So funkelig auch sie waren.
Denn sie überschattet' all
Die nebelfinstre Nacht ·
Die von dem Teufel kam ·
In des Gewalt wir waren ·

unz uns erscein der gotes sun ·
warer sunno von den himelun ·

Duo die vinf werlte alle
gevuoren zuo der helle
unt der sehsten ein vil michel teil ·
do irscein uns allen daz heil ·
done was des langore bite ·
der sunne gie den sternen mite ·
do irscein uns der sunne
uber allez manchunne ·
in fine seculorum ·
do irscein uns der gotes sun ·
in mennisclichemo bilde ·
den tach braht er uns von den himelen.

Duo wart geboren ein chint ·
des elliu disiu lant sint ·
demo dienet erde unte mere
unte elliu himelisciu here ·
den sancta Maria gebar ·
des scol sie iemer lop han ·
wante si was muoter unte maget ·
daz wart uns sit von ir gesaget ·
si was muoter ane mannes rat ·
si bedachte wibes missetat ·
diu geburt was wunterlich ·
demo chinde ist nieht gelich ·
siniu wort diu waren uns der lip ·
durch unsih alle erstarb er sit ·
er wart mit sinen willen
an das cruce irhangen ·

Duo habten sine hente
die veste nagelgebente ·

Bis uns erschien der Gottessohn ·
Er des Himmels wahre Sonn'.

Die fünf Welten alle
Hinfuhren zu der Hölle
Und von der sechsten ein gutes Teil ·
Da erschien uns allen das Heil.
Nicht länger war da Harrn und Bitten ·
Die Sonne ging in der Sterne Mitte.
Die Sonne ward ergossen
Über alle Menschengenossen ·
In saeculorum fine
Der Gottessohn erschien
In menschlicher Gestalt:
Den Tag vom Himmel bracht.

Da ward geboren ein Kind ·
Des alle diese Lande sind ·
Dem dienen Erd und Meere
Und alle himmlischen Heere ·
Den Sankta Maria gebar:
Des hab sie Lob immerdar.
Denn sie war Mutter und sie war Magd ·
Das ward uns stets von ihr gesagt ·
Sie war Mutter ohne Mannesrat ·
Deckte zu des Weibes Missetat.
Diese Geburt war wunderreich ·
Diesem Kinde ist nichts gleich.
Seine Worte waren unser Leben ·
Um unsertwillen wollt er sterben.
Er ward nach eignem Verlangen
Dann ans Kreuz gehangen.

Feste Nagelbande
Hielten da seine Hände ·

galle unt ezzich was sin tranch ·
so lost uns der heilant ·
von siner siten floz daz pluot ·
des pir wir alle geheiligot ·
inzwischen zwen meintatun
hiengen si den gotes sun ·

Duo der unser ewart
also unsculdiger irslagen wart ·
diu erda irvorht ir daz mein ·
der sunne an erde niene scein ·
der umbehanc zesleiz sich al ·
sinen herren chlagete der sal ·
diu grebere taten sih uf ·
die toten stuonten dar uz
mit ir herren gebote ·
si irstuonten lebentich mit gote ·
di sint uns urchunde des
daz wir alle irsten ze jungest ·

Von der Juden slahte
got mit magenchrefte
diu hellesloz er al zebrach ·
duo nam er da daz sin was
daz er mit sinem bluote
vil tiure chouphet hiete ·
der fortis armatus
der chlagete duo daz sin hus ·
duo ime der sterchore chom ·
der zevuorte im sin geroubel al ·
er nam imo elliu siniu vaz
der er e so manegez hie besaz . . .

O crux benedicta ·
aller holze beszista ·
an dir wart gevangan

Gall und Essig war sein Trank.
So erlöst uns der Heiland.
Das Blut aus seiner Seite trat ·
Das uns alle geheiligt hat.
Zwischen zween Bösewichten
Ward Gottes Sohn gerichtet.

Da nun unser Heiland also
Unschuldig erschlagen ward ·
Ob des Frevels die Erd erschrickt ·
Die Sonne nicht mehr zur Erde blickt ·
Der Vorhang zerschliß mit einem Mal ·
Seinen Herrn wehklagte der Saal ·
Die Gräber taten sich auf ·
Die Toten fuhren daraus.
Nach ihres Herrn Gebot
Erstanden sie lebend mit Gott ·
Sie tun uns verkünden ·
Daß wir auferstehn am Jüngsten.

Von der Juden Geschlechte
Gott mit Heldenkräften
Zerbrach das Schloß der Hölle ·
Nahm sich was ihm gehörte ·
Was er mit seinem Blut
Sich erkauft' teuer genug.
Der fortis armatus ·
Wie klagte der um seine Burg ·
Da über ihn ein Stärkerer kam ·
Der seinen Raub ihm all entwand.
Er nahm ihm seine ganze Fracht ·
So viel er auch davon besaß . . .

Kreuz du benedeites ·
Bestes aller Scheite ·
An dir ließ sich fahn

der gir Leviathan ·
lip sint din este · wante wir
den lib irnereten ane dir ·
ja truogen din este
die burde himelisce ·
an dich floz daz frone pluot ·
din wuocher ist suoz unte guot ·
da dermite irloset ist
manchunn allez daz der ist ·

Trehtin · du uns gehieze
daz du war verlieze.
du gewerdotest uns vore sagen ·
swenn du · herre · wurdest irhaben
von der erde an daz cruci ·
du unsih zugest zuoze dir ·
din martere ist irvollot ·
nu leiste · herre · diniu wort ·
nu ziuch du · chunich himelisc ·
unser herze dar da du bist ·
daz wir die dine dinestman
von dir ne sin gesceidan ·

O crux salvatoris ·
du unser segelgerte bist ·
disiu werlt elliu ist daz meri ·
min trehtin segel unte vere ·
diu rehten werch unser segel seil ·
diu rihtent uns die vart heim ·
der segel · der ware geloubo ·
der hilfet uns der wole zuo ·
der heilige atem ist der wint ·
der vuoret unsih an den rehten sint ·
himelriche ist unser heimuot ·
da sculen wir lenten · gotelob ·

98

Der grimme Leviathan ·
Leib deine Äste sind · weil wir
Des Leibs genesen · Kreuz · an dir.
Wohl trugen deine Äste
Die himmlischen Läste.
An dir floß ab das hohe Blut ·
Deine Frucht ist süß und gut ·
Denn an dir erlöset ist
Menschensippe · wo sie ist.

Gebieter · du verhießest ·
Was du wahr sein ließest ·
Du geruhtest zu geloben ·
Wann · Herr · du würdest erhoben
Von der Erd an des Kreuzes Zier ·
Du zögest uns hinauf zu dir.
Deine Marter vollbrachtest dort ·
Nun sei es · Herr · nach deinem Wort.
Nun zieh du · König der Himmelstrift ·
Unser Herz hin wo du bist ·
Daß wir deines Dienstes bleiben ·
Nimmer uns von dir scheiden.

O crux salvatoris
Du unsere Segelgerte bist.
Diese Welt alle ist das Meer ·
Mein Gebieter Segel und Fähre ·
Die rechten Werke unser Segelseil ·
Die unsere Fahrt richten heim.
Das Segel · der wahre Glaube · soll
Uns verhelfen zu unserm Wohl.
Der heilige Odem ist der Wind ·
Der uns die gute Straße bringt.
Himmelreich ist unsere Heimat ·
Da wollen wir landen · Gott sei Dank!

Gunther und Hagene · die recken vil balt ·
lobten mit untriuwen   ein pirsen in den walt.
mit ir scharpfen geren   si wolden jagen swin ·
bern unde wisende: waz möhte küeners gesin?

Da mit reit ouch Sifrit   in herlichem site.
maniger hande spise   die fuorte man in mite.
zeinem kalten brunnen   verlos er sit den lip.
daz hete geraten Prünhilt · des künic Guntheres wip.

Do gie der degen küene   da er Kriemhilde vant.
do was nu uf gesoumet   sin edel pirsgewant ·
sin und der gesellen: si wolden über Rin.
done dorfte Kriemhilde   nimmer leider gesin.

Di sine triutinne   kust' er an den munt.
›got laze mich dich · vrouwe · gesehen noch gesunt ·
und mich diu dinen ougen.   mit holden magen din
soltu kurzewilen · ine mac hie heime niht gesin.‹

Do gedahtes' an diu maere   (sine torst' ir niht gesagen) ·
diu si da Hagenen sagete: do begonde klagen
diu edel küneginne   daz si ie gewan den lip.
do weinte ane maze   des herren Sifrides wip.

Si sprach zuo dem recken: ›lat iuwer jagen sin.
mir troumte hinaht leide · wie iuch zwei wildiu swin
jageten über heide · da wurden bluomen rot.
daz ich so sere weine · des get mir waerliche not.

Ich fürhte harte sere   etelichen rat ·
ob man der deheinen   missedienet hat ·
die uns gefüegen kunnen   vientlichen haz.
belibet lieber herre: mit triuwen rat' ich iu daz.‹

Gunther und Hagen · die Herren voll Gewalt ·
Luden in ihrer Tücke   zu einer Pirsch im Wald.
Wohlbespeeret solle   Jagd sein aufs wilde Schwein ·
Bären und Wisente: was konnte tollkühner sein?

Mit ihnen ritt auch Siegfried   in fürstlicher Pracht.
Vielerlei Art von Speise · die wurde mitgebracht.
Dann am kalten Brunnen   ward er zu Fall getan.
So kam's auf den Rat von Brunhild · König Gunthers Ehegespan.

Hin ging der kühne Recke · wo er Kriemhilde fand ·
Für ihn ward aufgeladen   sein feines Pirschgewand ·
Und für die Genossen · man wollte übern Rhein.
Um nichts könnte Kriemhild   irgend trauriger sein.

Er nahm die Herzliebste   und küßte ihren Mund:
›Gott lasse mich dich · Gattin · bald wiedersehn gesund ·
Mich deine Augen schauen.   Zerstreuung im Verein
Deiner Lieben finde · denn ich kann zu Hause jetzt nicht sein.‹

Und sie gedachte der Sache · aber wagte doch nichts zu sagen ·
Von der sie Hagen gesprochen.   Da hub an zu klagen
die Königin · die edle · daß ihr je erblüht ihr Leib.
Darob weinte außer Maßen   dem Herrn Siegfried sein Weib.

Sie sprach zu dem Helden: ›Gebt euer Jagen auf.
Mir träumte heut Nacht schrecklich · zwei wilde Schwein' im Lauf
Jagten euch über die Heide · die Blumen wurden rot.
Daß ich so sehr muß weinen · ist wahrlich nicht ohne Not.

Denn gar zu sehr befürcht ich   Anschlag und schlimmen Rat ·
Weiß nicht · ob irgendwen man   falsch behandelt hat ·
Der uns das laß entgelten   mit feindlichem Haß.
Beliebt's euch · Lieber · bleibet: getreulich rat ich euch das.‹

Er sprach: ›min triutinne · ich kum in kurzen tagen.
ine weiz hie niht der liute · die mir iht hazzes tragen.
alle dine mage   sint mir gemeine holt ·
ouch han ich an den degenen   hie niht anders versolt.‹

›Neina · herre Sifrit! ja fürhte ich dinen val.
mir troumte hinte leide · wie ob dir zetal
vielen zwene berge: ine gesach dich nimmer me.
wil du von mir scheiden · daz tuot mir in dem herzen we.‹

Er umbevie mit armen   daz tugentriche wip.
mit minneclichem küssen   trut' er ir schoenen lip.
mit urloube er dannen   schiet in kurzer stunt.
si gesach in leider   dar nach nimmer mer gesunt.

Do riten si von dannen   in einen tiefen walt
durch kurzewile willen.   vil manic ritter balt
volgeten Gunthere   unde sinen man.
Gernot und Giselher   die waren da heime bestan.

Geladen vil der rosse   kom vor in über Rin ·
di den jagetgesellen truogen   brot unde win ·
daz vleisch mit den vischen   und andern manigen rat ·
den ein künic so riche   vil harte billichen hat.

Si hiezen herbergen   für den grüenen walt
gen des wildes abloufe · die stolzen jegere balt ·
da si da jagen solden · uf einen wert vil breit.
do was ouch komen Sifrit · daz wart dem künege geseit.

Von den jagtgesellen   wurden do gar bestan
die warte in allen enden.   do sprach der küene man ·
Sifrit der vil starke: ›wer sol uns in den walt
wisen nach dem wilde · ir helde küene unde balt?‹

Er sprach: ›Du Herztraute · ich kehr in kurzer Frist.
Weiß auch hier von keinem Menschen · der mir gehässig ist.
Alle deine Sippen   sind mir durchaus geneigt:
Ich hab auch diesen Recken all   mich nur liebreich erzeigt.‹

›Nein doch · hört Herr Siegfried: sehr fürcht ich deinen Fall.
Mir träumte heut nacht schrecklich · daß über dich zu Tal
Stürzten ab zwei Berge · und ich sah dich nimmer mehr.
Willst du von mir scheiden · das bringt mir Herzeleid so sehr.‹

Er schloß in beide Arme   sein tugendreiches Weib ·
Mit vielen Liebesküssen   kost er den schönen Leib ·
Nahm Urlaub und eilte   fort in kurzer Stund.
Sie aber sah den Gatten   danach leider nie mehr gesund.

Nun ritten sie von dannen   in einen tiefen Wald ·
Sich gütlich zu ergetzen.   Manch Ritter wohlgestalt
Folgte dem Gunther   und all seinem Troß.
Gernot und Giselher · die blieben daheim im Schloß.

Manch schwer beladner Säumer   zog vorher übern Rhein ·
Für die Jagdgesellen zu tragen   Brote und Wein ·
Fleisch · viele Fische   und andern Vorrat genug ·
Wie's ein so reicher König   heischet völlig mit Fug.

Man hieß sie sich lagern   vor dem grünen Holz ·
Wo des Wildes Spuren liefen · die Ritter frei und stolz ·
Da wo sie jagen sollten   auf breitem Wiesenplan.
Auch Siegfried war gekommen · das sagte man dem König an.

Drauf die Jagdfreunde aber   stellten sich richtig an
An alle Wechselplätze.   Da sprach der kühne Mann ·
Siegfried · der sehr starke: ›Wer wird uns denn im Holz
Hin zum Wilde weisen?   sagt mir's · ihr Helden kühn und stolz.‹

›Welle wir uns scheiden‹ · sprach do Hagene ·
›e daz wir beginnen   hie ze jagene?
da bi wir mügen bekennen · ich und die herren min ·
wer die besten jegere   an dirre waltreise sin.

Liute und gehünde   suln wir teilen gar.
so ker' ietslicher   swar er gerne var.
swer danne jage daz beste · des sol er haben danc.‹
do wart der jäger biten   bi ein ander niht ze lanc.

Do sprach der herre Sifrit: ›ich han der hunde rat ·
niwan einen bracken · der so genozzen hat
daz er die verte erkenne   der tiere durch den tan.
wir komen wol ze jegede‹ · sprach der Kriemhilde man.

Do nam ein alter jegere   einen guoten spürhunt.
er brahte den herren   in einer kurzen stunt
da si vil tiere funden.   swaz der von lägere stuont ·
di erjagten die gesellen · so noch guote jeger tuont.

Swaz ir der bracke ersprancte · di sluoc mit siner hant
Sifrit der vil küene · der helt von Niderlant.
sin ros lief so sere · daz ir im niht entran.
den lop er vor in allen   an dem jegde gewan.

Er was an allen dingen   biderbe genuoc.
sin tier was daz erste · daz er ze tode sluoc ·
ein vil starkez halpful · mit der sinen hant.
dar nach er vil schiere   einen ungefüegen lewen vant.

Do den der bracke ersprancte · den schoz er mit dem bogen.
eine scharpfe strale   het er dar in gezogen.
der lewe lief nach dem schuzze   wan drier sprünge lanc.
die sinen jagtgesellen   die sagten Sifride danc.

›Trennen wir uns besser‹ · fügte Hagen bei ·
›Vor daß anfange   unsere Jagerei.
Dann werd ich ja erkennen · samt meinem Herren bald ·
Wer die besten Jäger seien   auf dieser Fahrt tief in den Wald.

In die Leut und Hunde   teilen wir uns gut ·
Dann schweif ein jeder · wie es ihm zu Mut.
Wer dann das meiste erbeutet · dem werde Dank und Ehr.‹
Da litt es die Jagdgesellen   beieinander nicht mehr.

Nun sprach der Herr · der Siegfried: ›Ich hab die Hunde satt ·
Will nur einen Bracken · der aufgenommen hat ·
Daß er des Wildes Fährte   erspür im tiefen Tann.
Das gibt recht eine Jagerei‹ · sprach der Kriemhilde Mann.

Da nahm ein alter Jäger   einen guten Vorstehhund ·
Der führte seinen Herren   dahin in kurzer Stund ·
Wo sie viel Wildstand fanden.   Was von seinem Lager entfloh ·
Das erjagten sich die Gefährten · auch heute macht's ein guter Jäger so.

Was der Bracke ihm aufsprengte · das fällte mit der Hand
Siegfried der sehr kühne · der Held vom Niederland.
Sein Roß lief so wacker · daß gar nichts ihm entrann ·
Den Preis er vor den andern   bei dieser Herrenjagd gewann.

Er war in jeder Weise   wohlschaffen genug.
Als erstes der Tiere · die seine Hand erschlug ·
Fiel ein starkes Wildpferd   tot von seiner Hand ·
Und gleich darauf er auf einmal   einen ungeheuren Löwen fand.

Wie den der Bracke ersprungen · schoß er ihn mit dem Bogen ·
Hatte einen scharfen   Bolzen darauf gezogen.
Der angeschoßne Löwe   schon nach drei Sprüngen sank.
Des Siegfried Jagdgefährten   sagten ihm sehr vielen Dank.

Dar nach sluoc er schiere   einen wisent und einen elch ·
starker ure viere · und einen grimmen schelch.
sin ros truoc in so balde · daz ir im niht entran.
hirze oder hinden   kunde im wenic engan.

Einen eber grozen   den vant der spürhunt.
als er begunde vliehen · do kom an der stunt
des selben gejegdes meister · er bestuont in uf der sla.
daz swin vil zornecliche   lief an den küenen helt sa.

Do sluoc in mit dem swerte   der Kriemhilde man.
ez enhet ein ander jegere   so samfte niht getan.
do er in het' ervellet · man vie den spürhunt.
do wart sin jaget daz riche   wol den Burgonden kunt.

Do sprachen sine jegere: ›müg' ez mit fuoge wesen ·
so lat uns · her Sifrit · der tier ein teil genesen.
ir tuot uns hiute laere   den berc und ouch den walt.‹
des begonde smielen   der degen küene unde balt.

Do hortens' allenthalben   ludem unde doz.
von liuten und ouch von hunden   der schal der was so groz
daz in da von antwurte   der berc und ouch der tan.
vier unt zweinzec ruore   die jeger heten verlan.

Do muosen vil der tiere   verliesen da daz leben.
do wanden si daz füegen · daz man in solde geben
den pris von dem gejägde: des kunde niht geschehen ·
do der starke Sifrit   wart zer fiwerstat gesehen.

Daz jagt was ergangen   und doch niht gar.
die zer fiwerstete wolden · die brahten mit in dar
vil maniger tiere hiute   und wildes genuoc.
hey waz man des zer kuchen   des küneges ingesinde truoc!

Schlug gleich andere Tiere · einen Wisent und einen Elk ·
Auch vier Auerstiere   und einen grimmen Schelk.
Sein Roß trug ihn so wacker · daß keines ihm entrann ·
Hirsche nicht noch Hinden · alles fiel in seinen Bann.

Einen Rieseneber   erspürt der Vorstehhund ·
Wie der fortrennen wollte · da kam zu dem Grund
Der Meister dieser Jagd herbei · vertrat dem Wild die Bahn.
Das Schwein in stierem Zorne   lief gleich den kühnen Helden an.

Mit seinem Schwert erschlug es   der Kriemhilde Mann.
Kein andrer Jäger hätte   so leichtlich das getan.
Als dann das Tier erlegt war · fing man den Spürhund ein.
Kund ward sein herrlich Jagdglück   allen Burgunden insgemein.

Da sprach zu ihm sein Jägertrupp: ›Herr Siegfried · laßt ein Teil ·
Wenn es Euch genehm ist · der wilden Tiere heil.
Ihr wollt uns heut veröden   den Berg und das Holz.‹
Darüber mußte lächeln   der Degen kühnlich und stolz.

Da hörten sie allenthalben   Lärmen und Getos
Von Leuten und auch von Hunden · der Schall war so groß ·
Daß ihnen Antwort hallte   Gebirg und Waldesschacht.
Vierundzwanzig Koppeln   hatten die Jäger losgemacht.

Viel Waldestiere mußten   lassen da ihr Leben.
So wähnten sie's zu schaffen · daß ihnen werde gegeben
Der Ehrenpreis der Jägerei · doch das konnte nicht geschehen ·
Wie der starke Siegfried   ließ am Feuerplatze sich sehen.

Die Jagd war zu Ende · doch nicht ganz verebbt.
Wer zum Feuerplatze hinkam · der brachte mitgeschleppt
Die Felle erlegter Tiere   und Wildpret genug.
Wie viel man in die Küche   zu des Königs Ingesinde trug!

Do hiez der künic künden   den jegern uz erkorn
daz er enbizen wolde.   do wart vil lute ein horn
zeiner stunt geblasen · da mit in wart erkant
daz man den fürsten edele   da zen herbergen vant.

Do sprach ein Sifrides jägere: ›herre · ich han vernomen
von eines hornes duzze   daz wir nu suln komen
zuo den herbergen.   antwurten ich des wil.‹
do wart nach den gesellen   gevraget blasende vil.

Do sprach der herre Sifrit: ›nu rume ouch wir den tan!‹
sin ros truoc in ebene · si ilten mit im dan.
si ersprancten mit ir schalle   ein tier vil gremelich ·
daz was ein ber wilde.   do sprach der degen hinder sich:

›Ich wil uns hergesellen   guoter kurzewile wern.
ir sult den bracken lazen: ja sih' ich einen bern ·
der sol mit uns hinnen   zen herbergen varn.
er'n vliehe danne vil sere · er'n kan sihs nimmer bewarn.

Der bracke wart verlazen · der bere spranc von dan.
do wold' in erriten   der Kriemhilde man.
er kom in ein gevelle · done kundes niwet wesen.
daz starke tier do wande   vor dem jägere genesen.

Do spranc von sinem rosse   der stolze ritter guot:
er begonde nach loufen.   daz tier was umbehuot ·
ez enkonde im niht entrinnen: do vienc er iz zehant ·
an' aller slahte wunden   der helt ez schiere gebant.

Krazen noch gebizen   kunde ez niht den man.
er band ez zuo dem satele: uf saz der snelle san ·
er braht' iz an die fiwerstat   durch sinen hohen muot
zeiner kurzewile   der recke küene unde guot.

Der König ließ verkünden den Jägern kühn und schnell ·
Er wolle Imbiß nehmen. Da ward das Hifthorn hell
Einmal laut geblasen · dadurch ward allbekannt ·
Daß man den edlen Fürsten bei der Raststätte fand.

Sprach wer von Siegfrieds Jägern: ›Mein Herr · ich hab vernommen
Von einem Horn das tönet · das heißt wir sollen kommen
Zu den Raststätten · ob ich antworten soll?‹
Der Ruf nach den Gefährten immer aufs neue erscholl.

›Hinaus jetzt aus dem Walde!‹ der edle Siegfried sprach ·
Sein Roß trug ihn angenehm · sie eilten all ihm nach.
Da ertummelte ihr Tosen ein gar griesgrämig Stück ·
Ein ungebärdiger Bär war's. Da rief der Recke schallend zurück:

›Schaut · was ich uns Genossen für Kurzweil nun gewähr.
Los lasset mir den Bracken · hier seh ich einen Bär ·
Ich will · daß der mit mir zur Raststätte trabt.
Gibt er sich nicht sehr Mühe · dann hat er die Freiheit gehabt.‹

Der Brack war losgelassen · der Bär entsprang ins Tal.
Schnell wollt ihn ereilen der Kriemhild Gemahl.
In eine Schlucht geriet er und konnte nicht weiter dort.
Das starke Waldtier hoffte · heil käm es noch vom Jäger fort.

Da sprang von seinem Rosse der Held in frohem Mut
Und lief dem Bären flugs nach · der war nicht auf der Hut ·
Für den gab's kein Entrinnen. Er fing ihn mit der Hand ·
Empfing nicht eine Schramme · wie er ihn fesselte und band.

Kratzen oder beißen konnte er nicht fortan.
Er band ihn an den Sattel fest · saß rüstig auf sodann
Und führte ihn zum Feuerplatz in seinem Übermut ·
Um einen Spaß zu haben · der Ritter kühnlich und gut.

Wie rehte herlichen   er zen herbergen reit!
sin ger was vil michel · starc unde breit.
im hienc ein ziere wafen   hin nider an den sporn:
von vil rotem golde   fuort' der herre ein schoene horn.

Von bezzerm pirsgewaete   gehort' ich nie gesagen.
einen roc von swarzem pfellel   den sach man in tragen
und einen huot von zobele · der riche was genuoc.
hey waz er richer porten   an sinem kochaere truoc!

Von einem pantel   was dar über gezogen
ein hut durch die süeze.   ouch fuorter einen bogen ·
den man mit antwerke   muose ziehen dan ·
der in spannen solde · er'n hete iz selbe getan.

Von einer ludemes hiute   was allez sin gewant.
von houbet unz an daz ende   gestreut man darufe vant.
uz der liehten riuhe   vil manic goldes zein
ze beiden sinen siten   dem küenen jägermeister schein.

Do fuort' er Balmungen · ein ziere wafen breit ·
daz was also scherpfe · daz ez nie vermeit
swa man ez sluoc uf helme.   sin' ecke waren guot.
der herliche jägere   der was hohe gemuot.

Sit daz ich iu diu maere   gar bescheiden sol ·
im was sin edel kocher   vil guoter strale vol ·
von guldinen tüllen · diu sahs wol hende breit.
ez muose balde sterben   swaz er da mit versneit.

Do reit der ritter edele   vil weidenliche dan.
in sahen zuo in komende   di Guntheres man.
si liefen im engegene   und enpfiengen im daz marc.
do fuort' er bi dem satele   einen bern groz unde starc.

Wie richtig herrenmäßig   er zur Raststätte ritt!
Sein Speer war sehr mächtig · breit auch im Schnitt ·
Ein reichverziertes Schwert   hing ihm nieder bis zum Sporn ·
Aus eitel rotem Golde   hatte der Held ein schönes Horn.

Von besserm Pirschgewande   hörte gar nie wer sagen.
Einen Rock von schwarzem Sammet   sah man ihn tragen
Und einen Hut von Zobelpelz · der war kostbar genug.
Wie kostbar auch die Borte · die er am Köcher rings trug!

Mit eines Panthers Felle   war der Köcher überzogen
Des Wohlgeruches willen.   Dann hat er einen Bogen ·
Wollte den wer spannen · so nahm er ein Gewind ·
Um ihn anzuziehen.   Der Held selber spannte ihn geschwind.

Aus Otterfellen geschnitten   war gänzlich sein Gewand ·
Von oben bis zum Saume   Verbrämung darauf stand.
In dem hellen Pelze   Goldfäden gaben fein
Dem kühnen Jägermeister   zu beiden Seiten lichten Schein.

Auch führte er den Balmung · ein Schwert verziert und flach ·
Von ungeheurer Schärfe · niemals gab es nach
Bei einem Schlag auf Helme: die Schneiden waren gut.
Der herrliche Jägersmann   war fürwahr hochgemut.

Weil ich auch denn alles   recht erzählen soll ·
Er hatte einen Köcher   von guten Pfeilen voll ·
Mit goldenen Scheiden · vorn breit wie eine Faust.
Wohl mußte jeder sterben   dem solch ein Pfeil eingesaust.

So ritt der edle Ritter   ganz waidgerecht fürbaß
Hin zu des Gunthers Jagdgefolg.   Kaum sahen die das ·
So liefen sie entgegen ihm   und nahmen ihm ab sein Roß.
An seinem Sattel bracht er   einen Bären stark und groß.

Als er gestuont von rosse · do lost' ir im diu bant
von fuoze und ouch von munde.   do erlute da zehant
vil groze daz gehünde · swaz des den bern sach.
daz tier ze walde wolde · die liute heten ungemach.

Der ber von dem schalle   durch die kuchen geriet.
hey waz er kuchenknehte   von dem fiwer schiet!
vil kezzel wart gerüeret · zefüeret manic brant.
hey waz man guoter spise   in der aschen ligen vant!

Do sprungen von dem sedele   die herren und ir man.
der ber begonde zürnen: der künic hiez do lan
allez daz gehünde · daz an den seilen lac.
und waer' iz wol verendet · si heten vroelichen tac.

Mit bogen und mit spiezen   niht langer man daz lie ·
do liefen dar die snellen   da der ber gie.
do was so vil der hunde   daz da niemen schoz.
von des liutes schalle   daz gebirge allez erdoz.

Der ber begonde vliehen   vor den hunden dan ·
im kunde niht gevolgen   wan Kriemhilde man.
der erlief in mit dem swerte · ze tode er in do sluoc.
hin wider zuo dem fiwere   man den bern sider truoc.

Do sprachen die daz sahen · er waere ein kreftec man.
die stolzen jagetgesellen   hiez man zen tischen gan.
uf einen schoenen anger   saz ir da genuoc.
hey waz man richer spise   den edeln jegeren do truoc!

Die schenken komen seine · die tragen solden win.
ez enkunde baz gedienet   nimmer helden sin.
heten si dar under   niht so valschen muot ·
so waeren wol die recken   vor allen schanden behuot.

Wie er vom Pferde abstieg · entknotet er das Band
Vom Fuß ihm und vom Maule.   Da war gleich bei der Hand
Und boll laut auf die Meute · wie sie den Bär erblickt.
Zu seinem Walde wollt er · es kam den Leuten ungeschickt.

Der Bär von all dem Lärmen   in die Küche einsprang.
Ei wieviel Küchenknechte   er vom Feuer zwang!
Manch Kessel ward gerühret · verschüret mancher Brand:
Ei was für gute Speise   in der Asche man liegen fand!

Auf sprangen von den Sitzen   all die Herren und ihr Troß.
Der Bär ward mählich grimmig · auf Königs Spruch kam los
Rings die Hundemeute · die an Seilen lag.
Wärs weiter gut gegangen · das hieß ein fröhlicher Tag.

Mit Spießen und mit Bogen   nicht länger man verzog ·
Nach stoben alle Schnellen · wohin der Bär sich bog.
Kein Mensch bei soviel Hunden   sich zu schießen traut ·
Das ganze Gebirg erdröhnte   von des Volkes Lärmen laut.

Der Bär vor den Hunden   fing zu laufen an ·
Kein andrer konnt ihm folgen   wie der Kriemhilde Mann.
Der erreicht ihn mit dem Schwerte · so daß er zu Tod ihn schlug.
Von neuem zu dem Feu'r dann   man den Bären schleunig trug.

Da sprachen · die das sahen · welch ein kräftiger Mann das sei.
Die stolzen Jagdgenossen   rief man zu Tisch herbei.
Auf einem schönen Anger   absaß Volks genug.
Ei · wieviel feine Speisen   man den edlen Jägern auftrug!

Die Schenken waren schläfrig · sie säumten mit dem Wein ·
Sonst konnten niemals Helden   besser bedient sein.
Gäb es nicht darunter   wen von falscher Art ·
So blieben diese Recken   vor aller Schande wohl bewahrt.

Do sprach der herre Sifrit: ›wunder mich des hat ·
sit man uns von des kuchen   git so manigen rat ·
warumbe uns die schenken   bringen niht den win.
man enpflege baz der jegere · ich enwil niht jagetgeselle sin.

Ich hete wol gedienet   daz man min baz naeme war.‹
der künic von sinem tische   sprach in valsche dar:
›man sol iu gerne büezen   swes wir gebresten han.
daz ist von Hagenen schulden · der wil uns gerne erdürsten lan.‹

Do sprach von Tronege Hagene: ›vil lieber herre min ·
ich wande daz daz pirsen   hiute solde sin
da zem Spehtsharte: den win den sand' ich dar.
sin wir hiute ungetrunken · wie wol ich mere daz bewar!‹

Do sprach der herre Sifrit: ›ir lip der hab' undanc!
man solde mir siben soume   met und lutertranc
haben her gefüeret. do des niht mohte sin ·
do solt' man uns gesidelet   haben naher an den Rin.‹

Do sprach von Tronege Hagene: ›ir edeln ritter balt ·
ich weiz hie bi nahen   einen brunnen kalt
(daz ir niht enzürnet)   da sul wir hine gan.‹
der rat wart manigem degene   ze grozen sorgen getan.

Sifrit den recken   twanc des durstes not.
den tisch er deste ziter   rucken dan gebot.
er wolde für die berge   zuo dem brunnen gan.
do was der rat mit meine   von den recken getan.

Diu tier hiez man uf wägenen   füeren in daz lant ·
diu da hete verhouwen   diu Sifrides hant.
man jah im grozer eren   swer iz ie gesach.
Hagene sine triuwe   vil sere an Sifriden brach.

Da sprach der Herr der Siegfried: ›Staunen mich das macht:
Nun man aus der Küche herträgt mancherlei Tracht ·
Wie denn uns die Schenken bringen keinen Wein?
Man bedenke besser die Jäger · sonst möcht ich kein Jagdgenosse sein.

Ich dürft es wohl verlangen · daß man mehr auf mich schaut.‹
Der König übern Tisch her sprach in Falschheit laut:
›Man wird euch gern vergüten den Mangel · den wir sehn.
Der Schuldige ist Hagen · der ließ uns gerne vor Durst vergehn.‹

Da sprach von Tronje Hagen: ›Mein lieber Herr · versteht ·
Ich dachte · daß das Pirschen heute vor sich geht
Drüben im Spechtsharte: dorthin sandt ich den Wein.
Sind heut wir Trinkens ohne · ein andermal soll's besser sein.‹

Da sprach der edle Siegfried: ›Das trägt dir keinen Dank ·
Man sollte sieben Säumer mit Met und Lautertrank
Hier bereit mir halten · und konnte das nicht sein ·
So sollte unser Jägerplatz näher liegen doch beim Rhein.‹

Da sprach von Tronje Hagen: ›Ihr edlen Ritter · halt!
Ich kenn hier ganz nahe einen Brunnen kalt ·
(Werdet mir nur nicht zornig) · zu dem hin laßt uns gehn.‹
Der Rat war manchem Helden zu großem Kummer geschehn.

Siegfried den Recken drängte Durstes Not.
Die Tafel aufzuheben eilig er gebot ·
Er wollte in die Berge zu dem Brunnen fort.
Der Rat war hinterhältig · meineidig jenes Recken Wort.

Die Beute ließ auf Wagen man bringen über Land ·
Die dalag gefället von Siegfrieds Hand.
Wer diese Menge schaute · ehrend von ihm sprach.
Hagen doch die Treue gar sehr dem Siegfried brach.

Do si wolden dannen   zuo der linden breit ·
do sprach von Tronege Hagene: ›mir ist des vil geseit
daz niht gevolgen künne   dem Kriemhilde man ·
swenne er wolde gahen.   hey wolde er uns daz sehen lan!‹

Do sprach von Niderlande   der küene Sifrit:
›daz muget ir wol versuochen · welt ir mir loufen mit
ze wette zuo dem brunnen.   so daz ist getan ·
dem sol man jehen danne · den man sihet gewunnen han.‹

Nu weile ouch wirz versuochen · sprach Hagene der degen.
do sprach der snelle Sifrit: ›so wil ich mich legen
für di iwern füeze   nider an daz gras.‹
do er daz gehorte · wi lieb ez Gunthere was!

Do sprach der degen küene: ›noch wil ich iu mere sagen ·
allez min gewaete   wil ich mit mir tragen ·
den ger zuo dem schilde   und al min pirsgewant.‹
den kocher zuo dem swerte   vil schier' er umbe gebant.

Do zugen si diu kleider   von dem libe dan.
in zwein wizen hemden   sach man si beide stan.
sam zwei wildiu pantel   si liefen durch den kle.
do sach man bi dem brunnen   den küenen Sifriden e.

Den pris an allen dingen   truoc er vor manigem man.
das swert daz lost' er schiere · den kocher leit' er dan ·
den starken ger er leinte   an der linden ast.
bi des brunnen vluzze   stuont der herliche gast.

Die Sifrides tugende   waren harte groz.
den schilt er leite nider   alda der brunne vloz.
swie harte so in durste · der helt doch nine tranc
e dez der künic getrunke · des sagt' er im vil boesen danc.

Wie sie dorthin wollten · wo die Linde ragt ·
Da sprach von Tronje Hagen: ›Man hat mir oft gesagt ·
Daß keiner folgen könne · der Kriemhilde Mann ·
Wenn er behende laufe: ei · lasset sehn nun · was er kann!‹

Da sprach der Niederländer · der kühne Siegfried:
›Wollet ihr mit mir laufen · versucht wie sich entschied
Der Wettlauf zu dem Brunnen.   Wenn er dann geschah ·
So mag man ausrufen · wen man dabei gewinnen sah.‹

›So wollen wir's auch versuchen‹ · sprach Hagen · der Degen.
Da sprach der starke Siegfried: ›Dann will ich mich legen
Hier vor eure Füße   nieder in das Gras.‹
Da Gunther dies hörte · wie lieb war dem König das!

Fort sprach der kühne Degen: ›Ich will auch mehr noch sagen:
Alle meine Sachen   seht mich mit mir tragen ·
Den Speer samt dem Schilde   und all mein Pirschgerät.‹
Den Köcher samt dem Schwert   er schleunig umbinden tät.

Aus zogen sie die Kleider · und man konnte sehn ·
In zwei weißen Hemden   die beiden Helden stehn.
Wie zwei wilde Panther   so liefen sie durch den Klee ·
Und doch sah bei dem Brunnen   den schnellen Siegfried man eh'.

In allen Dingen trug er   den Preis vor jeglichem Mann.
Das Schwert löst er schleunig · legt hin den Köcher dann ·
Den starken Speer dann lehnt er   an den Lindenast.
An des Brunnen Abfluß   stand er · der herrliche Gast.

Des Siegfrieds edle Sitten   waren also groß.
Den Schild legt er zu Boden · wo der Brunnen floß.
Wie arg ihn auch dürstet · der Held mitnichten trank
Bevor der König getrunken · dafür ward ihm der böseste Dank.

Der brunne der was küele · luter unde guot.
Gunther sich do neigete   nider zuo der fluot.
als er het' getrunken · do riht' er sih von dan.
alsam het ouch gerne   der küene Sifrit getan.

Do engalt er siner zühte.   den bogen unt daz swert ·
daz truoc allez Hagene   von im dannewert.
do sprang er hin widere   da er den ger da vant.
er sach nach einem bilde   an des küenen gewant.

Da der herre Sifrit   ob dem brunnen tranc ·
er schoz in durch das kriuze · daz von der wunden spranc
daz bluot im von dem herzen   vaste an die Hagenen wat.
so groze missewende   ein helt nu nimmer mer begat.

Den ger im gein dem herzen   stecken er do lie.
also grimmeclichen   ze flühten Hagen nie
gelief noch in der werlde   vor deheinem man.
do sich der herre Sifrit   der starken wunden versan ·

Der herre tobelichen   von dem brunnen spranc ·
im ragete von dem herzen   ein gerstange lanc.
der fürste wande vinden   bogen oder swert:
so müese wesen Hagene   nach sinem dienste gewert.

Do der sere wunde   des swertes niht envant ·
done het et er niht mere   wan des schildes rant.
er zuhten von dem brunnen · do lief er Hagenen an.
done kunde im niht entrinnen   des künic Guntheres man.

Swie wunt er was zem tode · so krefteclich er sluoc ·
daz uz dem schilde   draete genuoc
des edelen gesteines · der schilt vil gar zerbrast.
sich hete gerne errochen   der vil herliche gast.

Sehr kühl war der Bronnen · lauter auch und gut.
Gunther neigte nieder   sich zu seiner Flut.
Wie er getrunken hatte · stellt er sich aufrecht dann.
Grad so hätte gerne   der kühne Siegfried auch getan.

Da belohnte sich sein Zartsinn: den Bogen und das Schwert ·
Das alles trug jetzt Hagen fort · daß er's entbehrt.
Dann sprang er wieder dorthin · wo er den Speer fand ·
Spähte nach einem Kreuze   an des Kühnen Gewand.

Wie nun trank Herr Siegfried   aus dem Brunnen lang ·
Schoß er ihn durch das Zeichen · daß aus der Wunde sprang
Das Blut heraus vom Herzen   stracks auf des Hagen Gewand.
So fürchterliche Untat   begehet nie mehr eines Helden Hand.

Er ließ ihm tief im Herzen   stecken seinen Speer.
So in Angst und Eile   war Hagen nimmermehr
Gelaufen seiner Lebtag · fliehend irgendwen.
Wie sich der edle Siegfried   der schweren Wunde nun versehn ·

War's · daß er wie im Toben   auf vom Brunnen sprang ·
Ihm ragte aus der Schulter   die Speerstange lang.
Der Fürst erhofft · er fände   Bogen oder Schwert.
Dann hätt er's dem Hagen   auch nach Verdienst wohl beschert.

Wie der schrecklich Wunde   das Schwert gar nirgends fand ·
Da verblieb ihm nichts weiter · nur des Schildes Rand.
Den riß er auf vom Brunnen   und lief den Hagen an:
Nun vermochte nicht zu entrinnen   des König Gunthers Dienstmann.

War er gleich wund zu Tode · so kräftig fest er schlug ·
Daß von seinem Schilde   aufsprangen genug
Der edlen Ziersteine · der Schild ward gar zerspellt.
Er wollte gern sich rächen · er der prachtvolle Held.

Do was gestruchet Hagene   vor siner hant zetal.
von des slages krefte   der wert vil lut' erhal.
het er daz swert enhende · so waer' ez Hagenen tot.
so sere zurnt' der wunde · des gie im waerlichen not.

Erblichen was sin varwe: er'n kunde niht gesten.
sines libes sterke   diu muose gar zergen ·
wand' er des todes zeichen   in liehter varwe truoc.
sit wart er beweinet   von schoenen vrouwen genuoc.

Do viel in die bluomen   der Kriemhilde man.
daz bluot von siner wunden   sach man vil vaste gan.
do begonde er schelten   (des gie im groziu not)
die uf in geraten   heten den ungetriuwen tot.

Do sprach der verchwunde: ›ja ir vil boesen zagen ·
waz helfent miniu dienest · daz ir mich habet erslagen?
ich was iu ie getriuwe: des ich engolten han.
ir habt an iuwern magen   leider übele getan.

Die sint da von bescholten · swaz ir wirt geborn
her nach disen ziten.   ir habet iuwern zorn
gerochen al ze sere   an dem libe min.
mit laster ir gescheiden   sult von guoten recken sin.‹

Die ritter alle liefen   da er erslagen lac.
ez was ir genuogen   ein vreudeloser tac.
die iht triuwe heten · von den wart er gekleit ·
daz het wol verdienet   der ritter küen' unt gemeit.

Der künic von Burgonden   klagte sinen tot.
do sprach der verchwunde: ›daz ist ane not ·
daz der nach schaden weinet · der in da hat getan.
der dienet michel schelten: ez waere bezzer verlan.‹

Da lag gestreckt der Hagen   von seiner Hand zu Fall.
Vom gewaltigen Schlage   die Flur gab lauten Schall.
Hätt er das Schwert in Händen · so lag der Hagen tot ·
So schrecklich zürnte der Wunde · ihm war's wahrhaftig auch not.

Es blichen seine Farben · er konnte nicht mehr stehn.
Seines Leibes Stärke   mußte ganz vergehn ·
Weil er des Tods Abzeichen   in heller Farbe trug.
Wie ward er beweinet   von schönen Frauen alsdann genug!

Hin fiel in die Blumen   der Kriemhilde Mann ·
Das Blut aus seiner Wunde   ach gar arge rann.
Da begann er zu schmähen · (ihn trieb die schwere Not) ·
Daß sie ihm erdachten   solchen Treubruch und solchen Tod.

Da sprach der Herzwunde: ›Weh euch · verruchter Hagen ·
Was helfen meine Dienste · da ihr mich doch erschlagen?
Ich war getreu euch immer · muß nun den Lohn empfahn.
Ihr habt an eurem Hause   leider sehr übel getan.

Es bleibt davon bescholten · wer auch aus ihm ersteh
Noch nach diesem Tage.   Habt eures Zornes Weh
Gerochen übermäßig ihr · da ihr mich entleibt.
Mit Schande geschieden ihr   von guten Recken bleibt.‹

Hin liefen alle Ritter · wo er getroffen lag.
Das war für die meisten   ein freudenleerer Tag.
Wer noch die Treue hoch hielt · von dem erscholl Gewein:
Das hatte wohl verdienet   der Ritter kühn und strahlenrein.

Der König der Burgunden   klagte um seinen Tod.
Da sprach der Herzwunde: ›Geschieht ohne Not ·
Daß um Schaden der weine · durch den er grad geschehn ·
Der kriegt viel bösen Vorhalt: besser wärs · er ließ es gehn.‹

Do sprach der grimme Hagene: ›jane weiz ich waz ir kleit.
ez hat nu allez ende   unser sorge unt unser leit.
wir vinden ir vil wenic · die türren uns bestan.
wol mich deich siner herschaft   han ze rate getan.‹

›Ir muget iuch lihte rüemen‹ · sprach do Sifrit.
›het ich an iu erkennet   den mortlichen sit ·
ich hete wol behalten   vor iu minen lip.
mich riuwet niht so sere   so vrou Kriemhilt min wip.

Nu müeze got erbarmen   daz ich ie gewan den sun ·
dem man daz itewizen   sol nah den ziten tuon ·
daz sine mage iemen   mortliche han erslagen.
möht' ich‹ · so sprach Sifrit · ›daz sold' ich billiche klagen.‹

Do sprach jaemerliche   der verchwunde man:
›welt ir · künic edele · triuwen iht began
in der werlt an iemen · lat iu bevolhen sin
uf iuwer genade   di holden triutinne min.

Und lat si des geniezen · daz si iuwer swester si.
durch aller fürsten tugende   wont ir mit triuwen bi.
mir müezen warten lange   min vater und mine man.
ez enwart nie vrouwen leider   an liebem vriunde getan.‹

Die bluomen allenthalben   von bluote wurden naz.
do rang er mit dem tode.   unlange tet er daz ·
want des todes wafen   ie ze sere sneit.
do mohte reden niht mere   der recke küen' unt gemeit.

Do die herren sahen   daz der helt was tot ·
si leiten in uf einen schilt · der was von golde rot ·
und wurden des ze rate · wie daz sold' ergan
daz man ez verhaele · daz ez hete Hagene getan.

Da sprach der grimme Hagen: ›Wie · daß ihr traurig seid?
Nun ist vorüber   unser Sorgen · unser Leid ·
Nun gibt es nicht mehr viele · die sich traun gen uns stehn.
Wohl mir · daß seiner Herrschaft   schnell das Ende ich ersehn.‹

›Nun habt ihr leicht euch rühmen‹ · sprach da Siegfried.
›O · daß ich doch beizeiten   euren Mordplan erriet ·
Dann hätt ich wohlbehalten   bewahrt meinen Leib.
Mich grämet nichts so schrecklich   wie Frau Kriemhild · mein Weib.

Das möge Gott verhüten · daß mir erwächst ein Sohn ·
Weil man dem immer wieder   vorhalten wird mit Hohn ·
Daß seine Sippen einmal   als Mörder wen erschlagen.
Könnt ich's noch‹ · sprach Siegfried · ›das müßt ich recht und sehr
                                                      beklagen.‹

Da sprach in großem Jammer   der herzwunde Mann:
›Kommt's euch · edler König · noch auf Treue an
Gegen irgend jemand · dann laßt befohlen sein
Wohl eurer Gnade   die liebe Vieltraute mein.

Laßt sie davon zehren · daß sie eure Schwester heißt ·
Bei aller Fürsten Adel   in Treu ihr Schutz erweist!
Lang müssen auf mich warten   mein Vater und meine Schar.
Kein größres Weh einer Frau je   an ihrem Freunde geschehen war.‹

Die Blumen allenthalben   vom Blute waren naß.
Nun rang er mit dem Tode · nicht lange tat er das ·
Denn des Todes Waffe   schneidet allzu schnell.
Schon konnt er nicht mehr sprechen · der Recke kühn und strahlendhell.

Und nun sahen die Herren · daß der Recke tot ·
Sie legten auf einen Schild ihn · von Gold war der so rot ·
Ratschlagten nun zusammen · wie man's wohl anfing ·
Durchaus zu verhehlen · daß der Hagen diese Tat beging.

Do sprachen ir genuoge: ›uns ist übel geschehen.
ir sult ez heln alle   unt sult geliche jehen ·
da er rite jagen eine · der Kriemhilde man ·
in slüegen schachaere · da er füere durch den tan.‹

Do sprach von Tronege Hagene: ›ich bring'in in daz lant.
mir ist vil unmaere · und wirt ez ir bekant ·
diu so hat betrüebet   den Prünhilde muot.
ez ahtet mich vil ringe · swaz si weinens getuot.‹

Nun sprachen ihrer viele: ›Böses hat sich zugetragen.
Ihr alle sollt's verhehlen · alle gleich aussagen:
Da er einzeln ritt zum Jagen · der Kriemhilde Mann ·
Erschlugen ihn die Räuber · grad wie er streifte durch den Tann.

Da sprach von Tronje der Hagen: ›Ich bring ihn heim ins Land.
Kümmert mich gar wenig · wird es ihr auch bekannt ·
Jener · die betrübt hat   der Brunhilde Gemüt.
Darauf acht ich mitnichten · wie sie weinend sich müht.‹

Das Ziel der Übersetzung von Karl Wolfskehl war die reine und genaue Wiedergabe der Bildung der Worte und des Rhythmus, des Reichtums und der Modulation des Klanges. Wo das unmöglich blieb, suchten wir ähnliche Wirkungen zu erreichen.

Den Texten, die Friedrich v. der Leyen besorgte, liegen Müllenhoffs, Scherers und Steinmeyers ›Denkmäler‹ oder Braunes ›Althochdeutsches Lesebuch‹ zugrunde, auch Wackernagels ›Lesebuch‹ wurde verglichen. Wenn wir von den Lesarten dieser Gelehrten abwichen, so haben wir in den seltensten Fällen eigene Vermutungen eingesetzt, meist sind wir stillschweigend zu den Handschriften zurückgekehrt, oder wir sind den Vorschlägen gefolgt, die, wie uns schien, die beste künstlerische oder sachliche Lösung fanden.

In diese neue Ausgabe der ältesten deutschen Dichtungen sind aus den ersten Auflagen der ›Millstädter Blutsegen‹, ›Himmel und Hölle‹ und das ›Melker Marienlied‹ herübergenommen. Außerdem hat Frau Margot Ruben in Karl Wolfskehls Nachlaß eine Übertragung der 16. Aventiure des Nibelungenliedes ›Wie Sifrit erslagen wart‹ gefunden. Wir sind aufrichtig dankbar, daß wir diese Übertragung abdrucken dürfen. Sie ist eine wesentliche Bereicherung unseres Buches. (Der Text des Originals in der Ausgabe von Bartsch/de Boor ist der Übersetzung gegenübergestellt.) Als erstes steht nun das älteste und gültigste germanische Heldenlied, das alte Hildebrandslied, vor uns und als letztes eine der berühmtesten Aventiuren unseres Nibelungenliedes. Zwischen diesen beiden mächtigen Pfeilern breiten sich die anderen vielfältigen, unvergeßlichen Gedichte aus.

Den Lesern schließlich, die sich über die hier ausgewählten ältesten deutschen Dichtungen genauer unterrichten und sie im Zusammenhang mit ihrer Zeit und ihrer Umwelt auffassen möchten, seien folgende Werke empfohlen: *Andreas Heusler* Die altgermanische Dichtung, Potsdam 1943. *Gustav Ehrismann* Geschichte der deutschen Literatur bis zum Ausgang des Mittelalters. Bd. 1,

2. Auflage, 1932; Bd. 2, 1. Teil, 1922. *Hermann Schneider* Heldendichtung, Geistliche Dichtung, Ritterdichtung. 2. Auflage, Heidelberg 1943. *Helmut de Boor* Geschichte der deutschen Literatur, Bd. 1 und 2, München 1954. *Friedrich von der Leyen* Deutsche Dichtung des Mittelalters, 2. Auflage, Frankfurt/M. 1964. Die Textänderungen im Hildebrandslied folgen den Vorschlägen von L. L. Hammerich in der Zeitschrift Neophilologus 1950.

Zur normannischen Runenreihe

Die normannische Runenreihe in der Handschrift von Sankt Gallen (aus Fulda) wird nur wenigen Lesern verständlich sein. Die ältere Forschung stand ihr noch ratlos gegenüber und glaubte, ein wirres Durcheinander oder gar ein kindisches Spiel vor sich zu haben. Nun ist der Text der Sankt Gallener Handschrift vielfach verderbt, und überdies war er für die Erlernung des Runenalphabetes durch die Klosterschüler hergerichtet. Im 9. Jahrhundert (in Fulda?) hat man den germanischen Runen den gleichen Wert wie dem griechischen und hebräischen Alphabet beigelegt. Das war ganz im Sinne Karls des Großen. — Der Herausgeber hat sich nun über Jahrzehnte hinweg um die Wiedergewinnung des Originals bemüht und seine Ergebnisse zuletzt in der Festschrift für L. L. Hammerich, Kopenhagen 1962, S. 156, veröffentlicht. Um eine Vergleichsmöglichkeit zu der im Textteil abgedruckten Runenreihe, die auf der älteren Forschung beruht, zu bieten, stellen wir hier das neuere Ergebnis vor:

Feu froma	Viehstand (ist) das erste
Ur anmot	der Stier bedroht es
Thuris thri staba	die drei Runenstäbe des Riesen
Os obana	Der Ase (Donar) ist oben
Rat rinnit	(Sein) Wagen rennt
Can cliuvit	Fackel (sein Blitz) spaltet
Hagal hardho	Hagel (ist) hart
Naut nagal	Not-Nagel (schützt)
Is ar	Eis-Jahr

Sol skinit	Sonne scheint
TiuBirka bivit	TiuBirke bebt
Lagu leohto	Das leuchtende Wasser
Manna middi	In der Mitte der Mann
Yr al	Eibe alles

Gehen wir dieser Reihe erklärend nach! Viehstand ist der erste, der wertvollste Besitz des Bauern. Der Stier bedroht ihn, und es bedrohen auch die drei Runenstäbe des feindseligen Riesen den Besitz. Die drei Stäbe versinnbildlichen Hagel, Not und Eis. Der Ase (Donar) ist oben im Himmel. Sein Wagen rennt. Seine Fackel ist der Blitz, der spaltet. Hagel ist hart. Die Rune Not ist auf den Finger-Nagel geritzt, ein Zeichen zur Abwehr. Eis-Jahr, d. h. es folgt ein fruchtbares Jahr, die Ernte. Sonne scheint. TiuBirke bebt: Die Birke, der leuchtende hohe Baum, war dem Himmelsgott, dem Tiu, geweiht. TiBirke ist der Name einer Ortschaft in Seeland, Dänemark. Dort war ein Heiligtum des Tiu, das in den letzten Jahren freigelegt wurde und in der germanischen Zeit anscheinend große Bedeutung hatte. Das Beben der Birke übertrug sich auf den gläubigen Verehrer. Mit welcher Furcht und Ehrfurcht die Gläubigen vor dem Gott erfüllt waren, berichtet Tacitus in seiner Germania in der Schilderung des Gottesdienstes der Germanen. In der Nähe des Heiligtums steht eine alte christliche Kirche, und dicht neben ihr leuchtet ein kleiner See. An die Heilkraft seines Wassers wurde bis in die letzte Zeit geglaubt. Lagu leohto — das leuchtende Wasser ist wohl eine Schilderung dieses Sees. Manna middi bedeutet in der Mitte des Lebens und des Schicksals. Man könnte vielleicht übersetzen: Der Mann, d. h. die Gemeinschaft der Gottesverehrer, bewegt sich in der Mitte des Heiligtums. Yr al — Eibe alles: Die Eibe galt als heiliger Baum, weil sie Sommer und Winter grünte und weil man wegen ihres Alters an ihre Ewigkeit glaubte. Sie galt als Baum des Schicksals, sie war der alte Weltenbaum.

Runengedichte haben uns auch das Altenglische, das Altnordische und das Isländische erhalten. Sie reichen dort hinauf bis ins 17. Jahrhundert. Die alte heilige Bedeutung ist in einem schönen altenglischen Runengedicht verweltlicht; die altnordischen Gedichte geraten in das Künstliche, ja in das Erkünstelte. — Unsere normannische Runenreihe entstand etwa Anfang des 7. Jahrhunderts. Ihre Lautgebung in der Sankt Gallener Handschrift zeigt, daß sie über England und Niedersachsen ins Hochdeutsche, wohl nach Fulda, gelangte. Sie gibt das jüngere Runenalphabet (das 16 Zeichen besaß) wieder. Diesem ging ein reicheres Runenalphabet von 24 Zeichen voraus; seine Namen sind uns in einer Wien-Salzburger Handschrift aus dem 9. Jahrhundert erhalten. Die hier überlieferten Benennungen aber führen bis in die Zeit des Wulfila, bis in das 4. nachchristliche Jahrhundert zurück. So waren also diese Runen 300 Jahre länger als ein Jahrtausend in den germanischen Ländern verbreitet. — Unter allen Runenalphabeten ist die normannische Runenreihe die merkwürdigste. In wenigen Zeilen schildert sie Not und Gefahr des bäuerlichen Lebens: die feindlichen Gewalten der Riesen und die stärkeren göttlichen Gewalten, das Glück der Ernte, die Freude am Besitz, den demütigen Dienst vor dem großen Himmelsgott und den Glauben an das ewige Schicksal.

FRIEDRICH V. DER LEYEN

Insel-Verlag Frankfurt am Main
49. bis 55. Tausend der Gesamtauflage
1. bis 7. Tausend der neuen erweiterten Ausgabe
Druck: Peter-Presse Christoph Kreickenbaum KG, Darmstadt
Papier: Peter Temming AG, Glückstadt/Elbe
Printed in Germany 1964